A SON ÉPOUSE

SOURCES CHRÉTIENNES

Fondateurs : *H. de Lubac, s.j., et* † *J. Daniélou, s.j.*
Directeur : *C. Mondésert, s. j.*

Nº 273

TERTULLIEN
A SON ÉPOUSE

Introduction, texte critique
traduction et notes de

Charles MUNIER

Professeur à l'Université des Sciences humaines de Strasbourg

Ouvrage publié avec le concours
du Centre National des Lettres

LES ÉDITIONS DU CERF, 29 Bd de Latour-Maubourg
PARIS
1980

*La publication de cet ouvrage a été préparée
avec le concours de l'Institut des Sources Chrétiennes
(E.R.A. 645 du Centre National de la Recherche Scientifique)*

NIHIL OBSTAT	IMPRIMATUR
Lyon, 18 juin 1980	Lyon, 23 juin 1980
Cl. MONDÉSERT, s.j.	J. ALBERTI, p.s.s.
	censor deputatus

PRÉFACE

Le présent ouvrage n'aurait pu voir le jour sans l'aide gracieuse de plusieurs personnes, vers lesquelles se tourne notre pensée reconnaissante.

Une nouvelle collation des manuscrits et des éditions de *Beatus Rhenanus* était nécessaire ; elle a permis d'établir le texte critique et de corriger sur plusieurs points les lectures d'E. Kroymann. Nous voudrions exprimer ici nos vifs remerciements à Mademoiselle Anne-Marie Genevois et à ses collègues de l'Institut de Recherche et d'Histoire des Textes de Paris, ainsi qu'au personnel de la Bibliothèque nationale et universitaire de Strasbourg.

Mademoiselle Huguette Fugier, Professeur à l'Institut de Latin de l'Université des Sciences humaines de Strasbourg, a bien voulu relire la traduction et nous aider à la rendre moins imparfaite ; qu'elle veuille bien trouver ici l'expression de notre sincère gratitude.

Enfin, ce nous est un agréable devoir que de remercier Monsieur Pierre Petitmengin, Bibliothécaire de l'École Normale Supérieure, qui a revu de très près tout le manuscrit et nous a fait bénéficier de ses précieux conseils.

Strasbourg, octobre 1978.

INTRODUCTION

I

OCCASION DU TRAITÉ

Parmi les écrits que Tertullien a consacrés aux problèmes de la morale conjugale, l'*Ad uxorem* est le seul qui date de sa période catholique. Les deux livres qui le constituent ont dû être rédigés dans un laps de temps assez court. Faute d'indications plus précises, faute d'allusions à des événements contemporains, il n'est pas possible de les dater à coup sûr : aussi les historiens ont-ils proposé, d'une manière très large, la période qui va de 193 à 206[1].

---

* Pour les abréviations des œuvres de Tertullien, voir p. 90.

1. R. BRAUN réunit les opinions des critiques les plus importants, depuis NOELDECHEN 1888 (1888) MONCEAUX (1901) et HARNACK (1904) ; il propose lui-même de placer l'ouvrage entre 200 et 206, avec MONCEAUX, Chr. MOHRMANN (1954), QUASTEN (1957) et W. P. LE SAINT (1951), qui précise : « pas longtemps après 200» ; *Deus christianorum*, p. 571. J.-Cl. FREDOUILLE situe les trois écrits de Tertullien : *Vx., Cast., Mon.*, entre 205 et 217 : *Tertullien et la conversion...*, p. 89. Signalons, enfin, que T. D. BARNES propose les années 198-203 pour *Vx., Tertullian*, p. 50. Nous nous rallions, pour notre part, à la datation proposée par R. Braun, p. 721, c'est à-dire entre le *De cultu feminarum* et les ouvrages sous l'influence montaniste.

Dans le premier livre, Tertullien recommande à sa femme
de ne point se remarier, au cas où elle deviendrait veuve. Dans
le second, il l'exhorte, si elle devait se remarier, à n'épouser qu'un
chrétien. C'est donc le problème des secondes noces, de leur
opportunité, voire de leur licéité, et celui, non moins épineux,
des mariages « mixtes », qui sont abordés dans cet ouvrage.

La plupart des traités de Tertullien révèlent leur contenu exact
par leur seul titre. Il n'en va pas ainsi de l'*Ad uxorem*, qui pourrait
offrir la matière de deux écrits distincts, assez minces, il est vrai.
Tout se passe comme si l'auteur avait conservé, pour la rédaction
définitive de son ouvrage, en deux livres, le titre original, destiné
primitivement à la lettre familière qu'il avait adressée à sa
femme : *Ad uxorem*. On sait, du reste, que Tertullien avait
intitulé son tout premier essai sur le mariage : *Ad amicum* (*philosophum, de angustiis nuptiarum*)[2].

Si le moraliste africain a choisi d'emblée le genre épistolaire
pour exposer ses idées sur le mariage et le remariage, c'est de
toute évidence qu'il tenait à s'inscrire dans une tradition bien
définie, dans laquelle son cher Sénèque s'était illustré avant lui.
Le cadre simple et libre d'une lettre convenait parfaitement à
son propos. Certes, il ne nous est plus possible de restituer la
démarche, les arguments, le style de l'*Ad amicum*, ni d'apprécier
l'entreprise de Tertullien commentant les heurs et les malheurs
du mariage. Le premier livre de l'*Ad uxorem* permet, toutefois,
de suppléer quelque peu à la perte de ce traité, dans la mesure où
l'auteur, sous couvert de conseils relatifs au remariage, entreprend
en réalité, une critique en règle de l'institution matrimoniale.

A dire vrai, on est loin d'une « lettre familière », d'une *consolatio*[3] *ad uxorem*. Assurément, le point de départ est personnel
et le destinataire de l'écrit bien réel. Mais il est facile de se
convaincre que cette « lettre » se place à mi-chemin entre la

---

2. Il est signalé par Jérôme, *epist.*, 22, 20 et *Adu. Iouinianum* 1, 13.
Voir l'étude consacrée à cet ouvrage par C. Tibiletti, « Un opuscolo
perduto di Tertulliano : Ad amicum philosophum », dans *Atti della Accad.
delle Scienze di Torino*, II. *Classe di Scienze mor., stor., e filolog.*, 95 (1960-
61), p. 122-166. Les conclusions de l'auteur sont résumées par Fredouille,
o.c., p. 89.

3. *Vx.*, I, 8, 5.

réalité et la fiction[4]. En l'écrivant, Tertullien songeait certainement à la publier : dès l'exorde il formule le souhait que ses recommandations trouvent une large audience et permettent, non seulement à sa femme, mais à toutes les femmes « qui appartiennent à Dieu », de comprendre que leur véritable intérêt est de persévérer dans un chaste veuvage[5].

Nous ne savons pas quels furent les milieux chrétiens de Carthage qui eurent la primeur de l'*Ad uxorem* I. L'auteur eut-il la satisfaction de lire son ouvrage dans un cercle restreint ? La *consolatio* de Tertullien fut-elle l'objet d'une *recitatio* publique, offerte à toute la communauté[6] ? Nous ne connaissons pas suffisamment les diverses formes para-liturgiques en usage à cette époque, pour pouvoir répondre à ces questions ? Un point semble acquis, cependant : c'est que le deuxième livre de l'*Ad uxorem* a suivi de près le premier. A maints égards, il constitue une *retractatio*.

Celle-ci fut-elle spontanée ? L'auteur éprouva-t-il le besoin de corriger l'impression fâcheuse que les thèses développées dans l'*Ad uxorem* I avaient pu produire ? A l'en croire, Tertullien n'avait pu résister au désir de donner un complément à la première série de conseils qu'il avait adressés à sa femme ; il n'avait pu assister indifférent au déplorable spectacle offert par tant de chrétiennes, de la meilleure société de Carthage, veuves ou divorcées, qu'il voyait se précipiter avec insouciance dans les rets de mariages avec des païens ; il avait cru devoir dessiller les yeux de ces imprudentes, en rappelant les paroles de l'Apôtre, en mettant en lumière leur véritable sens, puisque « les conseillers » de ces dames de qualité les interprétaient à rebours, avec une mauvaise foi évidente[7]. L'attaque est frontale, violente ; l'acharnement pointilleux avec lequel l'auteur s'ingénie à prouver que saint Paul a interdit toute espèce de « mariage mixte » et qu'il faut lire *I Cor.* 7, 12-16 à la lumière de *I Cor.* 7,

---

4. Voir les observations de FREDOUILLE à ce sujet ; *o.c.*, p. 100. Cf. LE SAINT, *o.c.*, p. 134, à propos de *Cast.*

5. *Vx.*, I, 1, 6.

6. TERTULLIEN décrit un usage semblable dans l'*Apologeticum* 39, 18 ; cf. BARNES, *o.c.*, p. 117.

7. *Vx.*, II, 1, 1 ; 2, 1.

39-40 semble bien comporter un relent de revanche[8]. Si Tertullien
bataille si dur sur ce front, s'il veut absolument l'emporter,
ne serait-ce pas qu'il a essuyé une défaite antérieurement ? ne
serait-ce pas que les conseillers spirituels, qu'il poursuit de sa
vindicte, ne sont autres que les didascales et presbytres de Carthage ? Les responsables de la communauté n'ont-ils pas remon-
tré à Tertullien que son éloge de la monogamie ressemblait fort
à une remise en question de l'institution matrimoniale elle-
même ; qu'à force d'exalter l'idéal de la continence, dans le
mariage et la virginité, on risquait fort de ne pas faire droit à
certaines réalités inscrites dans la nature humaine ; qu'il est
périlleux, en toute hypothèse, de confondre le précepte et le
conseil ?

Le fait est que l'*Ad uxorem* II ressemble étonnamment à une
palinodie ; sur plusieurs points essentiels de la doctrine matrimoniale, Tertullien a tenu à souligner son parfait accord avec
l'enseignement de l'Église[9]. Il a donné à son ouvrage une conclusion qui est un pur chef-d'œuvre — cette magnifique description du mariage chrétien, la plus belle, incontestablement, que
nous ait léguée l'Église antique[10]. Conclusion d'autant plus
inattendue, que l'auteur prélude sur un ton bourru, revêche,
qui trahit une animosité secrète. Au fil de son discours, cependant,
il s'anime et s'enflamme : il s'agit, en effet, de discerner la volonté
de Dieu, révélée par l'Apôtre, de défendre la foi et la vertu des
chrétiens dans un monde de péché, de les encourager à donner un
témoignage sans compromis dans leur vie familiale et dans la
cité. Tertullien les invite à rejeter tous les simulacres, tous les

---

8. *Vx.*, II, 2, 1-9.
9. Tertullien souligne d'emblée que le remariage ne peut être interdit,
puisqu'il faut tenir compte de la faiblesse humaine : *Vx.*, II, 1, 1 ; il
marque aussi la différence qui sépare l'idéal, difficile et contraignant,
de la continence librement assumée par la veuve, et la condition commune,
plus facile, du remariage, qui demeure permise : *ibid.*, II, 1, 2-3. Enfin,
il oppose le conseil (*suadet*) au précepte (*iubet*) : *ibid.*, II, 1, 4. Voir A.
D'ALÈS, *La théologie de Tertullien*, p. 372-377.
10. *Vx.*, II, 8, 6-8.

faux-semblants, à se montrer « toujours prêts à la défense contre quiconque (leur) demande raison de l'espérance qui est en (eux)[11] ».

Si le sévère moraliste a consenti, pour une fois, à corriger un de ses écrits, dans le sens de l'indulgence, n'est-ce pas qu'une influence discrète, docile, patiente, s'est exercée sur lui, qu'une personne en qui il avait pleinement confiance a su le convaincre ? Tertullien n'a-t-il pas voulu lui rendre hommage, en lui dédiant aussi ce deuxième livre *Ad uxorem* ? Car aurait-il eu le courage de l'écrire, s'il n'y avait été invité par celle qu'il nomme, affectueusement, *dilectissima in Domino conserua* ?

Le docteur africain reviendra plus d'une fois sur les problèmes du mariage chrétien, mais ce sera pour défendre avec une obstination toujours plus agressive le principe de la monogamie[12]. Dans le *De exhortatione castitatis*, composé vers 207, il recommande instamment à un ami devenu veuf de ne pas se remarier ; il reprend à son compte l'énergique formule d'Athénagore, pour l'aggraver encore. Celui-ci avait qualifié le remariage « d'adultère décent[13] » ; Tertullien dira, brutalement, qu'il est comme « une forme de débauche[14] ». Mais il ne s'arrête pas là. Si le mariage et la fornication diffèrent, ajoute-t-il, c'est uniquement parce que les lois semblent en décider ainsi ; mais ils ne diffèrent pas intrinsèquement, puisqu'ils ont en commun, pour les hommes comme pour les femmes, le même objet, les relations sexuelles dans le mariage, aussi bien qu'en dehors du mariage. Or le Seigneur n'a-t-il pas assimilé à un adultère le seul désir de les accomplir[15] ? Comment expliquer une telle violence ? Suffit-il de rappeler que Tertullien est passé au montanisme[16] ?

---

11. *I Pierre* 3, 15. Si Tertullien ne cite pas explicitement ce verset dans l'*Ad uxorem*, il s'inspire manifestement de tout ce passage, notamment de I *Pierre* 3, 2 en *Vx.*, II, 2, 3 ; 7, 1-2.

12. Bonne synthèse des vues de Tertullien sur le mariage et le remariage dans l'ouvrage de H. Preisker, *Christentum und Ehe in den ersten drei Jahrhunderten*, Berlin 1927, p. 187-200 ; Cf. d'Alès, *o.c.*, p. 370-377 ; 460-474 ; Fredouille, *o.c.*, p. 89-142 (bibliographie).

13. Athénagore, *Suppl.*, 33.

14. *Cast.*, 9, 1 : *quasi species stupri*.

15. *Ibid.*, 9, 3.

16. On place généralement autour de l'année 207 la rupture de Tertullien avec l'Église, sous l'influence montaniste ; cf. Braun, *o.c.*, p. 572.

Alors que l'*Ad uxorem* reconnaissait à la veuve le droit de se remarier, à condition qu'il s'agît d'un second époux chrétien, dans le premier livre *Contre Marcion*, Tertullien pose un principe nouveau : « Il existe une règle pour le mariage, règle dont le Paraclet se porte garant et dont il fournit la justification toute spirituelle : elle consiste, chez nous, du moins, à prescrire un seul mariage dans la foi[17] .» Ce principe n'appartient pas à la doctrine catholique ; il conduit Tertullien, au nom de la Nouvelle Prophétie, à récuser ou à détourner de leur sens obvie les passages scripturaires qui autorisent explicitement le remariage. L'entreprise est fortement engagée dès le traité *De exhortatione castitatis*. Elle est poussée à l'extrême dans le *De monogamia*, qui prend l'allure d'un pamphlet[18]. Entre les hérétiques, sectateurs de Marcion et autres, qui détruisent le mariage, et les « psychiques », qui le prodiguent, seuls les disciples du Paraclet apparaissent fidèles à la loi du Créateur, en admettant un seul mariage, comme ils confessent un seul Dieu[19].

Décidément, la pensée de Tertullien a fait beaucoup de chemin depuis l'*Ad uxorem*. A force d'attaquer les secondes noces, il a dangereusement ébranlé le principe des premières, « et plutôt que de reculer devant cette conséquence désastreuse, il a flétri comme une honte le sacrement dont autrefois il exaltait la sainteté[20] ».

Il convenait de situer rapidement l'*Ad uxorem* dans l'œuvre de Tertullien. Mais comment l'ouvrage s'intègre-t-il lui-même dans la production patristique ? L'auteur s'inscrit-il dans un courant plus large de la tradition paléochrétienne ? Ses vues sur le remariage et sur les « mariages mixtes » furent-elles répandues ? Tertullien n'a-t-il pas imprimé à ces thèmes un tour original, la marque de son génie propre ?

---

17. *Marc.*, I, 29, 4 ; cf. FREDOUILLE, *Adversus Marcionem* I, 29. « Deux états de la rédaction du traité », dans *REAug.* 13, 1967, p. 1-13.
18. On voudra bien se reporter aux études de FREDOUILLE (v.s. note 14) et de Cl. RAMBAUX, *La composition...*, pour suivre l'évolution de la pensée de Tertullien d'un traité à l'autre, notamment pour la mise en œuvre des textes scripturaires.
19. *Mon.*, I, 1-3.
20. D'ALÈS, *o.c.*, p. 469.

II

LE REMARIAGE APRÈS VEUVAGE

La tradition paléochrétienne s'enracine dans les saintes Écritures. On a beau les scruter ; nulle part on n'y rencontre l'interdiction absolue de se remarier, que Tertullien, devenu montaniste, prétend imposer comme « la règle de la foi et de la discipline chrétienne[1] ». L'Ancien Testament, il est vrai, avait formulé certaines exigences pour le mariage des prêtres[2] et du grand-prêtre[3] ; mais il ne leur défendait ni de se remarier, ni même de divorcer.

Les idées rituelles du judaïsme concernant la pureté des ministres du culte ne sont pas étrangères à l'interdiction du remariage énoncée au sujet des clercs majeurs dès l'époque subapostolique : épiscopes[4], presbytres[5], diacres[6], ainsi que pour l'ordre des veuves[7]. Ces règles se trouvent formulées dans les épîtres pastorales et traduisent une situation ecclésiale passablement évoluée. Les communautés de la Diaspora hellénistique veillent avec un soin jaloux à leur bonne réputation ; leurs responsables doivent s'imposer au respect de tous, au sein des églises, mais aussi dans la cité. Il leur faut donc répondre non seulement aux exigences de pureté rituelle des milieux judéo-hellénistiques, demeurés fidèles aux traditions vétéro-

---

1. *Mon.*, 2, 3.
2. *Lév.* 21, 7 ; *Éz.* 44, 22.
3. *Lév.* 21, 14.
4. *I Tim.* 3, 2.
5. *Tite* 1, 6.
6. *I Tim.* 3, 12.
7. *I Tim.* 5, 9.

testamentaires sur bien des points, mais aussi aux idéaux de la tradition morale du monde hellénique[8]. Or, on assiste, au versant de notre ère, à une vigoureuse poussée d'ascétisme, souvent marquée au sceau d'un dualisme radical[9]. Dans ces milieux, où se retrouvent des disciples de Pythagore aussi bien que des adeptes du Platonisme et de la Stoa, on attribue aux mouvements émotifs, et principalement à ceux de la vie sexuelle, une influence néfaste, dommageable à la recherche de la vérité. Le plaisir de la chair, croit-on, rend incapable de maintenir les relations avec le divin et le monde spirituel. De toute évidence, le remariage est un signe d'intempérance, un manque de maîtrise de soi[10].

La règle de la monogamie imposée aux clercs majeurs et à l'ordre des veuves comportait des risques d'incontinence, de nature à jeter le discrédit sur l'institution et à ternir le bon renom de toute la communauté. Le rédacteur de la *Première à Timothée* se montre préoccupé de mettre fin à des scandales pénibles et répétés, provoqués par l'inconduite de jeunes chrétiennes, admises inconsidérément dans l'ordre des veuves. Il règle avec une extrême rigueur les conditions de leur admission et, tout d'abord, fixe à soixante ans leur âge minimum. Le passage mérite d'être rapporté intégralement, ne serait-ce que pour suppléer à l'omission systématique pratiquée à son égard par Tertullien[11]. « Ne peut être inscrite au groupe des veuves qu'une femme d'au moins soixante ans, n'ayant été mariée qu'une seule fois. Elle devra se recommander par ses bonnes œuvres : avoir élevé des enfants, exercé l'hospitalité, lavé les pieds des saints, secouru les malheureux, pratiqué toutes

---

8. H. Preisker, *o.c.*, p. 71-92.

9. *Ibid.*, p. 14-38 ; H. Chadwick, « Enkrateia », *RAC*, V, col. 343-365 ; E. Peterson, « Beobachtungen zu den Anfängen der christlichen Askese », dans *Frühkirche, Judentum und Gnosis*, Rom-Freiburg-Wien 1959, p. 214-230.

10. Valère Maxime, 2, 1, 3 ; les œuvres littéraires et les inscriptions font l'éloge du mariage unique, ce qui atteste sinon un refus, du moins une certaine réprobation du remariage. Cf. M. Humbert, *Le remariage à Rome*, p. 59-75 ; Ch. Munier, *L'Église dans l'Empire romain*, p. 6-11.

11. Omission d'autant plus flagrante que Tertullien qui affecte d'ignorer *I Tim.* 5, 14, s'inspire directement de *I Tim*, 5, 13 en *Vx.*, I, 8, 4.

les formes de la bienfaisance. Les jeunes veuves, écarte-les. Dès que des désirs indignes du Christ les assaillent, elles veulent se remarier, méritant ainsi d'être condamnées pour avoir manqué à leur premier engagement. Avec cela, étant désœuvrées, elles apprennent à courir les maisons ; si encore elles n'étaient que désœuvrées, mais elles sont bavardes, indiscrètes, parlant à tort et à travers. Je veux donc que les jeunes veuves se remarient, qu'elles aient des enfants, gouvernent leur maison et ne donnent à l'adversaire aucune occasion d'insulte. Il en est déjà qui se sont fourvoyées à la suite de Satan[12] ». Le remariage des jeunes veuves est exigé ici, pour des raisons qui touchent la réputation de la communauté. L'expérience a prouvé le bien-fondé des mises en garde de l'Apôtre contre les propos imprudents de continence, si généreux soient-ils, de la part des gens mariés, des célibataires ou des veufs (*I Cor.* 7, 3-5 ; 8-9 ; 38-39). La justesse de sa réflexion : Mieux vaut se marier que de brûler[12a] s'est avérée à la longue ; certains désordres, auxquels le rédacteur fait allusion à mots couverts, ont contraint les chefs des communautés à limiter, autant qu'ils le pouvaient, les causes de ces scandales. C'est pourquoi ils se préoccupent d'abord des jeunes veuves ; en se remariant, elles seront quittes « de se fourvoyer, à la suite de Satan ».

Mais ce nouveau précepte n'est-il pas en contradiction flagrante avec la doctrine de l'Apôtre ? Est-il compatible avec les exhortations pressantes de la *Première aux Corinthiens*, par lesquelles Paul, persuadé de l'imminence de la Parousie, recommandait aux célibataires et aux veufs de demeurer en leur état (*I Cor.* 7, 8), conseillait à ceux qui ont femme de vivre comme s'ils n'en avaient pas (*I Cor.* 7, 29) et déclarait, au sujet de la condition des vierges : J'estime donc qu'en raison de la détresse présente, c'est l'état qui convient ; oui, c'est pour chacun ce qui convient (*I Cor.* 7, 26) ? Tertullien a relevé soigneusement ces divergences et su exploiter les textes pauliniens, pour déconsidérer les secondes noces. Mais a-t-il été lui-même fidèle à la pensée de l'Apôtre ? Pour en juger, efforçons-nous

---

12. *I Tim.* 5, 9-15.
12a. *I Cor.* 7, 9.

de la saisir en son intégralité, dans ses nuances, ses contrastes ; il est trop facile de tirer argument d'un verset isolé, en ignorant délibérément les correctifs apportés par ceux qui l'environnent.

C'est au chapitre 7 de la *Première aux Corinthiens* que Paul donne son avis sur le remariage après veuvage, d'abord aux versets 8-9, puis aux versets 39-40. Sa réponse s'inscrit dans un contexte plus large ; l'Apôtre répond à un ensemble de questions qui lui ont été posées par lettre (v. 1), au sujet du mariage lui-même et de certains cas spéciaux, comme celui des mariages mixtes ou celui des fiançailles spirituelles. L'orientation casuistique de tout le chapitre explique les redites et parfois des apparences de contradiction ; d'autre part, les réponses ponctuelles sont placées dans un éclairage particulier, du fait que l'Apôtre, d'entrée de jeu, doit prendre position sur la légitimité du mariage en tant que tel. En effet, certains Corinthiens, aux antipodes des gnostiques libertins du chapitre 6 (v. 12-17), se demandaient si un chrétien ne doit pas s'abstenir de tout commerce sexuel.

L'Apôtre commence par reconnaître que la continence n'est pas à rejeter, que le célibat représente un charisme (v. 1) : Il est excellent pour un homme de ne pas s'approcher d'une femme[13]. Mais tous n'ont pas ce charisme et il serait illusoire et dangereux de croire cet idéal accessible à la grande masse. Dans sa réponse, l'Apôtre ne s'embarrasse pas de fioritures ; il se montre d'une franchise abrupte et ne mâche pas ses mots. La nature humaine étant ce qu'elle est, répond-il en substance, quiconque prétendrait renoncer au mariage, sans posséder le charisme du célibat, ne pourra échapper aux poussées de ses instincts ; nécessairement, il tombera dans l'inconduite. « Par conséquent, que chacun ait sa femme à lui ; pareillement, que chaque femme ait son mari à elle » (v. 2). D'emblée, l'Apôtre précise que seul le mariage monogame peut entrer en ligne de compte pour un chrétien. De même qu'il a condamné l'indifférence sexuelle et le libertinage gnostiques (*I Cor.* 6, 12-17), il rejette ici la bigamie

---

13. *I Cor.* 7, 1 n'est-il pas une citation de la lettre des Corinthiens ? Cf. LESLIE, *o.c.*, p. 64.

simultanée, qui conservait encore des adeptes en certains milieux juifs de la meilleure société[14].

L'Apôtre n'est pas moins explicite sur la question des relations conjugales. Les gens mariés ne doivent pas se refuser l'un à l'autre, déclare-t-il sans ambages, — « à moins que ce ne soit d'un commun accord, pour un temps limité, afin de vaquer à la prière » (v. 5). Tel est le seul motif qui justifie à ses yeux la continence des époux. Aux Corinthiens idéalistes, qui rêvent d'ascétisme et d'unions spirituelles, Paul répond avec un réalisme direct, sans illusions. Toutefois, il consent à faire une concession à leurs pieux désirs : ils pourront instaurer, d'un commun accord, des périodes de continence, mais pour un temps limité, pour revenir ensuite à une vie conjugale normale. Les écrits juifs de la même époque admettaient de semblables exceptions, en vue de la prière ou de l'étude de la Loi ; les rabbins limitaient les périodes de continence à une durée allant d'une semaine à un mois[15].

Le même réalisme inspire la réponse de l'Apôtre au sujet des célibataires et des veufs. S'il ne cache pas sa préférence pour la continence — et c'est la part qu'il a choisie pour lui-même, — Paul reconnaît bien volontiers que chacun a reçu de la part de Dieu son propre charisme. Embrasser la continence n'est pas à la portée de chacun : ce n'est pas une question d'effort ni de mérite. Aux célibataires et aux veufs qui ne peuvent

---

14. J. A. FITZMYER, « The Matthean Divorce Texts and some new Palestinian Evidence », dans *Theol. Stud.*, t. 37, 1976, p. 197-226. L'auteur rappelle le Document de Damas (v. 110 avant J.-C.), 6, 9 - 7, 2 ; cf. R. H. CHARLES, *The Apocrypha and Pseudepigrapha of the Old Testament*, II, Oxford 1913, p. 806-810 ; il fait aussi état d'un fragment, encore inédit, de provenance qumranienne, *le Rouleau du Temple*, 11 QT, 57, ll. 17-19 : commentant *Deut.* 17, 17, le rédacteur énonce comme précepte pour la nouvelle communauté messianique : « Il ne prendra pas une autre femme en plus de sa femme, car celle-ci seule vivra avec lui tous les jours de sa vie. Si elle meurt, alors (seulement) il prendra une autre femme ». Le Rouleau du Temple contient un ensemble d'interprétations du Ier siècle, mises dans la bouche de Yahvé. Elles sont contemporaines de la *Première aux Corinthiens*, et correspondent à un *Sitz im Leben* assez voisin.

15. PREISKER, *o.c.*, p. 83 ; cf. *Ketub.*, 61, b. *Jubil.*, 50, 8 est beaucoup plus strict, en déclarant : Quiconque couche avec sa femme le jour du sabbat doit mourir.

observer la continence, l'Apôtre déclare laconiquement : qu'ils
se marient, car il vaut mieux se marier que de brûler (v. 8-9).
Il reviendra sur ce point, dans une ajoute, en fin de chapitre,
après avoir réglé dans le même sens la question des fiançailles
spirituelles : il ne condamne pas cet usage, mais il permet et,
en certains cas, il recommande aux fiancés de se marier et de
mettre fin à cette situation, qui ne peut être qu'exceptionnelle
(v. 36-38).

Est-ce à dire que l'Apôtre considère aussi comme exceptionnelle
la situation de la veuve ? S'il avait davantage explicité sa pensée,
n'en serait-il pas venu à conseiller, voire à ordonner, le remariage
aux jeunes veuves, (comme le fera l'auteur de la *Première à
Timothée*), pour les raisons mêmes qu'il avait exposées plus haut
(v. 2.5.9), et qui reparaissent ici, pour le cas des fiançailles
spirituelles ? Le danger d'impudicité, en effet, ne menace-t-il pas
— toutes proportions gardées — davantage les jeunes ? Quoi
qu'il en soit, l'Apôtre, sans aller jusqu'à ordonner, ni à conseiller,
le remariage à certaines catégories de veuves, l'autorise expressément, à toutes, sans exception. « La femme est liée à son mari,
aussi longtemps qu'il vit. Mais si le mari meurt, elle est libre
d'épouser qui elle veut, dans le Seigneur seulement. Cependant,
elle sera plus heureuse, à mon sens, si elle reste comme elle est.
Et je pense bien, moi aussi, avoir l'Esprit de Dieu » (v. 39-40).
Aucun doute n'est donc possible à ce sujet : malgré ses préférences
personnelles pour l'idéal de la continence et un chaste veuvage,
l'Apôtre n'a pas cru devoir ni pouvoir l'imposer. Ce point méri-
tait d'être souligné, car nous verrons Tertullien escamoter systé-
matiquement certains aspects de la pensée paulinienne, contraires
à sa thèse, pour n'en retenir que certains autres, qui lui paraissent
la favoriser.

Il convient de relever enfin les motifs allégués par saint Paul
en faveur du célibat. S'il les avance à propos des vierges, ils
valent aussi, de toute évidence, pour les veufs ou les célibataires
(après divorce, par exemple). Avant de donner son opinion,
l'Apôtre précise qu'il n'a pas de commandement du Seigneur
à proposer, mais un avis personnel, en sa qualité de croyant,
et sans même faire valoir son autorité apostolique. S'il croit
pouvoir recommander le célibat, c'est qu'il est persuadé de

l'imminence de la Parousie : Dieu a raccourci les temps qui nous séparent de la fin (*cf. Mc* 13, 20). Et tout le monde sait que les temps eschatologiques seront remplis de malheurs et de calamités. Parmi les tribulations de la fin, l'Apôtre place au premier rang les soucis terrestres et les préoccupations liées à l'entretien d'une famille (v. 25-31). Ces préoccupations sont parfaitement légitimes, reconnaît-il (v. 32-34), mais elles n'en détournent pas moins d'une existence qui serait tout entière consacrée au service du Seigneur (v. 35). Liberté en vue des choses de Dieu, disponibilité en vue du jour du Seigneur, telle est l'attitude fondamentale que l'Apôtre voudrait voir adopter par tous les chrétiens. Les choix à faire entre le mariage ou le célibat (ou l'état de viduité et le remariage après veuvage) peuvent s'inspirer de ces considérations. Mais saint Paul se garde bien d'imposer ses préférences aux fidèles. Il ne veut pas les « prendre au filet » (v. 35), leur imposer un idéal de vie au-dessus de leurs forces. Le conseil de continence qu'il donne s'inspire d'un double désir : que chacun puisse vivre conformément à son charisme ; que chacun, dans la situation qu'il aura choisie en fonction de son charisme, « vive dignement (*pros to euschèmon*) et s'attache au Seigneur sans partage » (v. 35).

Dignité du mariage monogame chrétien, licéité des fiançailles spirituelles, licéité du remariage après veuvage, dignité éminente de la virginité et de la viduité « au service du Seigneur » (*I Cor.* 7, 34), tels sont les points forts de la doctrine apostolique[16]. L'Église paléochrétienne sut lui rester fidèle, malgré des tendances contraires puissantes, hostiles au mariage par principe ou, dans une forme moins radicale, au remariage[17].

L'on en perçoit les premiers échos vers le milieu du IIe siècle, à Rome tout comme en Orient. Le *Pasteur* d'Hermas adopte une position somme toute assez modérée : le conjoint qui se remarie

---

16. Pour la synthèse qui précède, on s'est inspiré des grands commentaires de la *Première aux Corinthiens* et des Pastorales et plus particulièrement de ceux, en langue française, de Huby (1946), Héring (1949, 4e éd.), Allo (1956), Spicq (1969, 2e éd.), Osty (1974) ; en langue allemande, de Lietzmann (1949, 4e éd.), Wendland (1969) ; en langue anglaise, de Barrett (1968), Leslie (1976).

17. MUNIER, *o.c.*, p. 7-59.

après la mort de son partenaire ne commet pas un péché en se remariant, mais « s'il reste seul, il s'acquiert auprès du Seigneur un honneur, une gloire supplémentaire[18] ». Dans leur ensemble, les Pères orientaux se montrent beaucoup plus sévères.

L'apologiste Athénagore, qui adresse, vers 177, sa *Supplique pour les chrétiens* à l'empereur Marc-Aurèle et à son fils Commode, déclare sans ménagements qu'un second mariage est un « adultère décent ». Et ailleurs : « Celui qui se sépare de sa première femme, même si elle est morte, est un adultère déguisé ; il transgresse la volonté de Dieu, puisqu'au commencement Dieu a créé un seul homme et une seule femme[19] ».

Clément d'Alexandrie évoque, à son tour, le dessein primitif du Créateur, qui a institué le mariage monogame. S'il conseille à la veuve de ne point se remarier, Clément ne va pas jusqu'à condamner les secondes noces, que l'Apôtre, dit-il, « accorde par indulgence (*kata suggnomen*), à cause du danger d'incontinence[20] ». Le maître alexandrin estime que le remariage révèle un évident manque de maîtrise de soi (*egkrateia*) : il constitue comme une trahison à l'égard de l'idéal de perfection morale auquel le chrétien est appelé. « Celui qui se (re-)marie, écrit Clément dans les *Stromates*, ne réalise pas dans toute son intensité la perfection d'une conduite comme la veut l'Évangile. Mais il s'acquiert une gloire céleste celui qui reste seul, qui garde pure l'union que la mort a dissoute et qui obéit volontiers au plan divin qui l'a rendu sans partage au culte du Seigneur[21] ». La pensée de l'Apôtre est respectée en ses traits essentiels, mais l'on observe un net changement de perspective : les considérations d'ordre eschatologique, dont l'importance est primordiale pour saint Paul, s'effacent toujours plus devant des motifs ascétiques et mystiques, qui affleuraient déjà, il est vrai, dans la pensée paulinienne : comme l'état de virginité, celui de viduité opère une certaine libération « spirituelle » ; il permet à qui le désire « de ne plus être distrait du service du Seigneur ». Clément

---

18. *Mandata* IV, 4, 1-2.
19. *Legatio* 33.
20. *Strom.*, III, 76 ; 82 ; 101 ; 108.
21. *Ibid.*, III, 82.

avance même, par manière de paradoxe, que le veuvage est plus méritoire que la virginité, car il suppose un plus haut degré d'*apatheia*, une maîtrise de soi peu commune, puisqu'elle conduit au mépris de la volupté, que l'on connaît d'expérience. Nous retrouverons cette assertion chez Tertullien[22].

La position de Clément d'Alexandrie s'accorde, sur bien des points, avec celle de la philosophie morale des écoles contemporaines[23]. Les œuvres littéraires du Haut-Empire offrent, en effet, de nombreux témoignages de l'estime en laquelle sont tenues la *pudicitia* et la *fides* de ceux ou celles qui n'ont connu qu'un seul époux[24]. Les moralistes soulignent la gravité de l'engagement matrimonial qui lie les époux par un *fœdus*[25]. Ils mettent ainsi en valeur la dimension sociale du lien conjugal et s'opposent aux conceptions individualistes du droit romain. L'on sait que les constructions juridiques de l'époque fondent la durée du lien sur un consentement continu ; elles admettent ainsi que le lien disparaisse quand l'un des époux ne maintient plus sa volonté de prolonger l'union[26]. L'idéal de fidélité exalté par les moralistes, hostiles au divorce et au remariage après divorce, combat également l'idée d'un remariage après la mort du conjoint[27]. Pour qui sait rester fidèle, pour qui conserve

---

22. *Ibid.*, VII, 76, 4 ; on notera la similitude de l'argument avec celui que TERTULLIEN développe en *Vx.*, I, 8, 2. Voir aussi les témoignages de THÉOPHILE D'ANTIOCHE, *Apol.*, III, 15, 6 et d'IRÉNÉE, *Adv. Haer.*, I, 26, 2 et III, 17. 2 ; ce dernier est discuté par A. ORBE, « S. Ireneo y la iteracion de las nupcias, dans *Gregorianum* 34, 1953, p. 653 s.

23. PREISKER, *o.c.*, p. 14-38.

24. VALÈRE MAXIME, 2, 1, 3 ; 4, 3, 3, cité dans HUMBERT, *o.c.*, p. 59 ; cf. SÉNÈQUE, fragm. 69 s. ; 78 ; 79, dans E. BICKEL, « Diatribe in Senecae Philosophi Fragmenta I », *Fragmenta de Matrimonio*, 1915, p. 367 s.

25. HUMBERT, *o.c.*, p. 60, observe que cette conception sociale du lien conjugal est soutenue par la mythologie (PROPERCE, *Élégies* 3, 12, 37 ; OVIDE, *Tristes* 5, 14 ; STACE, *Silves* 3, 5, 47) ou illustrée par les exemples historiques de femmes qui suivent leur mari proscrit (TACITE, *Hist.*, 1, 3 ; VELLEIUS PATERCULUS, 2, 67, 2 ; OVIDE, *Tristes* 1, 85 ; PLINE LE JEUNE, *Ep.*, 7, 19, *etc.*).

26. R. ORESTANO, *La Struttura giuridica del matrimonia romano*, Milano 1951, p. 12 s. ; E. VOLTERRA, « La conception du mariage à Rome », *RIDA*, 3ᵉ série, 2, 1955, p. 365 s.

27. HUMBERT, *o.c.*, p. 60-62 ; les écrivains latins évoquent les sacrifices légendaires des veuves hindoues (VALÈRE MAXIME, 4, 6, 2 ; OVIDE,

vivant le souvenir de l'époux disparu, l'union n'est pas rompue
par la mort. Le sentiment de la survie de l'âme du défunt, l'espoir
que le couple se retrouvera dans l'au-delà, n'ont pas manqué
de renforcer l'idée que la fidélité doit se traduire par un chaste
veuvage[28].

Cette conception a trouvé une profonde résonance dans les
sentiments populaires. Les personnages de Plaute[29], non moins
que les épitaphes funéraires, opposent à l'infidélité, au divorce
et au remariage, l'éloge de l'*uniuira*[30]. La vertu que les Romains,
de tous les milieux, apprécient le plus chez leurs épouses, c'est
la fidélité conjugale — en mariage d'abord[31]. Le maintien d'un

---

Tristes 5, 14 ; PROPERCE, *Elégie*, 3, 13, 23) ; mais les exemples romains
ne sont pas moins sublimes : Porcia Minor qui suit Brutus dans la mort
(SÉNÈQUE, *Fragment* 74 ; MARTIAL, 1, 43) ; Arria l'Aînée, l'épouse de
Caecina Paetus, condamné pour avoir conspiré contre Claude, se tua
la première en disant : *Paete non dolet* : Paetus, cela ne fait pas de mal
(PLINE, *Ep.*, 3, 16 ; TACITE, *Annales* 16, 34 ; MARTIAL, 1, 14 ; DION CAS-
SIUS, 60, 16, 16).

28. S'adressant aux Mânes de son époux Sichée, Didon atteste par
serment qu'elle veut lui rester fidèle, par delà la mort : VIRGILE, *Énéide* 4,
29 ; Cornélie ne veut pas survivre à Pompée, qu'elle tient à suivre dans
le Tartare (LUCAIN, *Pharsale*, 5, 773-4) ; la veuve Charitas, des *Métamor-
phoses* d'APULÉE, rejoint son mari dans la mort (8, 3).

29. *Cistellaria*, v. 78-79 : « C'est là une idée qui convient plutôt à une
dame, ma petite Sélénie, de n'aimer qu'un seul homme, et de passer sa
vie entière avec celui à qui l'on est liée par le mariage » (trad. P. GRIMAL,
p. 316) — *Le Marchand*, v. 824 : « Ah, si seulement la loi était la même
pour la femme et pour l'homme. Car une épouse, si elle est honnête, se
contente d'un seul homme ; pourquoi un homme ne se contenterait-il pas
d'une seule femme ? » (trad. P. GRIMAL, p. 517) ; textes cités par HUM-
BERT, *o.c.*, p. 72.

30. D'après HUMBERT, *o.c.*, p. 63, près de 70 inscriptions funéraires
accordent à un époux défunt l'éloge de n'avoir connu qu'un seul mariage.
Sur 55 inscriptions suffisamment explicites pour que l'on puisse reconnaître leur origine, 50 ont été apposées par le conjoint survivant : par
conséquent, il ne s'agit pas, dans ces cas, d'un éloge du veuvage, mais
de celui de la fidélité observée en mariage.

31. Les expressions utilisées varient, mais il s'agit toujours de féliciter
l'épouse défunte d'être restée toujours fidèle au lit conjugal : *nulli dedita*
(CIL 6, 6976) ; *uno contenta marito* (CIL 2, 78) ; *cum quo uixit a uirginitate*,
(CIL 6, 9810, le mariage ayant duré 35 ans) ; *unum a uirginitate* (CIL 6,
7732, morte à 18 ans), *etc.* ; cf. HUMBERT, *o.c.*, p. 64-66.

chaste veuvage[32] est apprécié, lui aussi, dans la mesure où il traduit la volonté de rester attaché à l'époux disparu[33].

La fréquence des remariages, après divorce ou après veuvage[34], fait ressortir par contraste, la haute conception du mariage, que les Romains de l'époque impériale surent maintenir comme un idéal[35]. L'éloge du mariage unique l'atteste, à tous les niveaux de la société. Certains privilèges liturgiques et sociaux sont réservés aux veuves qui renoncent à se remarier[36].

Les chrétiens ne pouvaient, sans déchoir, proposer un idéal d'ascétisme inférieur à celui des moralistes païens. La surenchère

---

32. Cinq épitaphes concernent des veuves, louées pour ne s'être point remariées : *CIL* 9, 5517 (Italie du Sud) rappelle le souvenir d'une mère, morte à 85 ans, après 30 ans de mariage, suivis de 37 années de veuvage ; *CIL* 11, 6281 (Ombrie) loue une *uniuira*, morte à 78 ans ; *CIL* 13, 2056 (Lyon), morte à 54 ans, Aemilia Valeria est restée veuve 18 ans par *pietas* pour ses enfants et ses petits-enfants, qui lui ont élevé le *titulus* ; voir encore *CIL* 8, 7384 et *CIL* 6, 19838.

33. Cette volonté implique un sentiment, plus ou moins profond, relatif à une survie, la pensée que l'âme ne disparaît pas à la mort, la conviction qu'il existe un au-delà et que la séparation n'est pas définitive ; cf. HUMBERT, *o.c.*, p. 69. Parmi les inscriptions relevées par l'auteur et affirmant l'idée que l'union conjugale n'est pas interrompue par la mort de l'époux, 12 sont apposées par un veuf, 12 par une veuve. Dans 28 cas, un conjoint veuf exprime le souhait de ne pas se remarier, mais de rejoindre dans la tombe le prédécédé. Ces chiffres correspondent à un dépouillement de 25 000 inscriptions ; cf. HUMBERT, *o.c.*, p. 109.

34. *Ibid.*, p. 76-112.

35. Cet idéal est celui d'un engagement éternel, d'un *aeternum foedus* (*CIL* 6, 30111a) : l'union persiste malgré la mort du conjoint, car le lien du mariage demeure toujours. Dès lors il est interdit au survivant de violer la fidélité conjugale et il lui incombe le devoir de rester dans un veuvage chaste jusqu'à sa mort. Cf. *CIL* 6, 25427 (Rome) ;
... *Haec est sancta fides, haec sunt felicia uota,*
amplexus uitae reddere post obitum ; (HUMBERT, *o.c.*, p. 71).

36. La prescription d'un mariage unique est requise pour quatre cultes féminins, celui de la *Fortuna Muliebris*, celui de la *Mater Matuta*, celui de la *Fortuna Virgo*, celui, enfin, de la *Pudicitia Plebeia* ; cf. HUMBERT, *o.c.*, p. 42-50. Les *uniuirae* possèdent encore d'autres privilèges relatifs au culte de *Venus Verticordia*, et aux divers cultes de Junon ; *ibid.*, p. 50-57. Notons enfin que, dans la conclusion du mariage romain, la *dextrarum iunctio* est opérée par une matrone *pronuba* (quae ante nupsit et quae uni tantum nupta est, SERVIUS, *ad Aen.*, 4, 166), qui intervient comme *auspex*, comme le signe même, le présage favorable d'une union perpétuelle et unique ; cf. HUMBERT, *o.c.*, p. 35-36.

déclenchée en ce domaine, dès la fin de la République, se renforce dangereusement, tout au long des trois premiers siècles de l'ère chrétienne, du fait des tendances gnostiques, partout diffuses. Qu'il suffise d'évoquer ici, au moins à gros traits, les principales poussées de l'encratisme paléochrétien ; il n'est pas uniquement le fait de sectes hérétiques, mais il a trouvé une large diffusion dans les communautés de toute tendance et pouvait s'accompagner de l'orthodoxie doctrinale la plus ferme[37]. Le problème des secondes noces après veuvage ne constitue qu'un aspect particulier d'un débat infiniment plus vaste, où sont aux prises, dans toute la chrétienté, l'idéal de la continence absolue et l'institution même du mariage.

Il est pratiquement impossible de déceler les origines exactes du mouvement, que l'on découvre, déjà vigoureux, dans plusieurs milieux judéo-chrétiens marginaux, dès le Ier siècle[38]. Une influence de type gnostique semble s'y exercer, de très bonne heure ; elle donne un substrat métaphysique à des aspirations ascétiques exacerbées par la perspective de l'irruption imminente des derniers temps. Vers le milieu du IIe siècle, c'est l'influence de Marcion († 160) qui devient prépondérante : dualisme biblique, paulinisme exagéré se conjuguent chez lui à des conceptions dualistes héritées, par l'intermédiaire de Cerdon († 144), de la gnose syriaque[39]. S'il rejette le mariage, parce qu'il est l'œuvre du dieu de l'Ancien Testament (le démiurge, le dispensateur de la loi mosaïque, l'adversaire du Dieu d'amour du Nouveau Testament), Marcion n'est pas indemne de contaminations gnostiques. Ses disciples accentueront encore son dualisme. La matière est le principe de tout mal ; la chair est

---

37. Outre les ouvrages signalés plus haut (p. 16, n. 9), on pourra se reporter à F. MARTINEZ, *L'ascétisme chrétien pendant les trois premiers siècles de l'Église*, Paris 1913 ; M. MÜLLER, *Die Forderung der Ehelosigkeit für alle Getauften in der alten Kirche*, Leipzig 1927 ; H. KOCH, *Quellen zur Geschichte der Askese und der alten Mönchtums*, Leipzig 1933 ; G. BLOND « Les encratites et la vie mystique » dans *Études carmélitaines*, 1951, p. 117-130 ; B. KÖTTING, *Der Zölibat in der alten Kirche*, Münster 1970.

38. PETERSON, *art. cit.*, p. 214 ; H. BRAUN, *Spätjüdisch-häretischer und frühchristlicher Radikalismus*, Tübingen 1957.

39. A. VON HARNACK, *Marcion*, 2e éd., *TU* 45, 1924 ; E. C. BLACKMANN, *Marcion and his Influence*, London 1948.

mauvaise et source du péché ; ce qui la multiplie ne saurait être bon. Le mariage est condamnable, puisqu'il est œuvre de chair et propage la vie charnelle ; il importe de s'en abstenir, afin de mettre en échec l'œuvre du démiurge, qui règne sur ce monde mauvais. Les sectes marcionites exigent la continence absolue de leurs adeptes[40] ; elles n'admettent au baptême que des célibataires, ou des gens mariés qui s'engagent à renoncer définitivement aux relations conjugales[41].

A en juger d'après les nombreuses réfutations qu'il a suscitées, le marcionisme se répandit rapidement à travers tout l'Empire. A la même époque, sur la frontière orientale, et bien au-delà de cette frontière, le christianisme d'expression araméenne apparaît fortement marqué par les conceptions ascétiques. Une abondante littérature apocryphe attribue aux premiers missionnaires l'enseignement de la continence absolue. Dans les *Actes de Thomas*, par exemple, le thème des servitudes conjugales occupe une place importante ; le message chrétien opère la libération de tous les inconvénients liés au mariage[42]. Pour ceux qui ne sont pas encore engagés en ses liens, la pratique de la virginité assure une entière liberté et garantit l'accès aux noces célestes avec le Christ, le véritable époux de l'âme. Quant aux gens mariés, ils s'efforceront, du moins, de renoncer aux relations conjugales[43].

A travers des épisodes que l'imagination des auteurs renouvelle à loisir, les préceptes encratites imprègnent une foule de romans pieux, dont les *Actes de Paul* sont le plus célèbre. Tertullien

---

40. Au témoignage d'IRÉNÉE, *Adv. Haer.*, 1, 26 ; d'HIPPOLYTE, *Refut.*, 7, 29 ; 10, 19 ; de TERTULLIEN, *Marc.*, III, 11 ; IV, 21 ; *Res.*, 4 ; d'EUSÈBE, *H.E.*, IV, 29, 2.

41. TERTULLIEN, *Marc.*, I, 29 ; IV, 34.

42. G. BLOND, « L'encratisme dans les Actes de Thomas », *Recherches et Travaux*, Angers 1946, p. 5-25 ; A. VÖÖBUS, *History of Asceticism in the Syrian Orient*, t. I, Louvain 1958 ; t. II, 1960 ; A. F. J. KLIJN, « Das Thomasevangelium und das altsyrische Christentum », *Vigiliae Christianae* 15, 1961, p. 146-159.

43. *Actes de Thomas* 12 ; 88 ; *Actes de Jean* 63 ; 113 ; *Actes d'André* 5 ; *Actes de Pierre* 34. Déjà apparaît un thème que le Moyen Age reprendra fréquemment, celui des fiancés qui se séparent, avant même de consommer le mariage ; cf. B. DE GAIFFIER, « *Intactam sponsam relinquens*. A propos de la vie de saint Alexis », dans *Analecta Bollandiana* 65, 1947, p. 157-195.

nous apprend que cet ouvrage avait été rédigé par un prêtre d'Asie mineure, qui prétendit avoir agi « par amour de l'Apôtre et en parfait accord avec ses enseignements[44] ». Le succès de cette littérature édifiante dut être considérable. Les vues ascétiques ainsi répandues trouvaient une résonance certaine dans les milieux chrétiens les plus fervents. Dans les régions voisines de la Syrie orientale, nombre de communautés imposaient une profession de continence totale au moment du baptême, comme une exigence de la vie chrétienne vécue en plénitude[45]. Le « prince des encratites », Tatien, était originaire de cette contrée ; il y retourna quand il eut renoncé à son enseignement romain. Dans son écrit : *Sur la perfection, d'après la doctrine du Sauveur,* il présente le mariage comme une invention du démon, qui a perdu nos premiers parents par les séductions de la chair[46]. On retrouve, dans ces vues, certaines interprétations juives du récit de la chute, développées déjà par Philon[47].

Les perspectives eschatologiques du montanisme primitif invitaient les disciples du Paraclet à se détacher des biens de ce monde, à rompre leur mariage et à embrasser la continence[48]. Le souci de la perfection morale y était avivé par l'attente de la prochaine parousie. Cependant, à mesure que l'enthousiasme premier de la secte s'estompe, les tendances encratites s'apaisent. Lorsque Tertullien la rejoint, au début du IIIe siècle, le rigorisme des origines semble se polariser sur la question des secondes noces.

Dans la seconde moitié du IIe siècle, les tendances ascétiques prennent un nouveau départ dans la plupart des écoles de philosophie, même chez les stoïciens, qui voient pourtant dans

---

44. TERTULLIEN, *Bapt.,* 17.
45. A. VÖÖBUS, *Celibacy. A requirement for Admission to Baptism,* Stockholm 1951.
46. CLÉMENT D'ALEXANDRIE, *Strom.,* III, 49 ; 80 ; JÉRÔME, *Adv., Jovinianum* I, 3.
47. *De opificio mundi* 151 ; cf. CLÉMENT D'ALEXANDRIE, *Strom.,* III, 91 ; 103.
48. P. DE LABRIOLLE, *La crise montaniste,* Paris 1913 ; H. KRAFT, » Die altchristliche Prophetie und die Entstehung des Montanismus », dans *Theologische Zeitschrift* 11, 1955, p. 249-271.

la sexualité une donnée première de la nature[49]. Épictète déclare que le cynique, le philosophe par excellence, s'interdit le mariage et la procréation « afin d'être tout entier au service de la divinité[50] ». Les pythagoriciens recommandent l'effort ascétique comme un moyen de se préparer à la révélation divine et à la communion avec Dieu ; la continence totale fait partie de ce programme. Les spéculations des platoniciens sur l'origine de l'âme, sa chute dans le monde corporel, son ascension purificatrice vers le Principe, s'accompagnent de préceptes d'ascèse à l'intention des « parfaits[51] ». Ces tendances, qui rajeunissent l'idéal philosophique de la modération (*egkrateia*), en lui infusant les aspirations mystiques d'une religiosité inquiète, ont contribué, pour leur part, à exalter l'idéal de l'abstinence sexuelle lié à l'effort moral, couronné par la contemplation divine. Pour Porphyre († 305), la continence est le gage assuré de l'incorruptibilité ; s'abstenir de tout rapport charnel est l'idéal de tous ceux « qui ont chassé le sommeil de leurs yeux », le chemin le plus sûr pour atteindre la perfection[52]. Des vues similaires s'expriment, un siècle plus tôt, dans les *Sentences* de Sextus, une collection païenne, remaniée, dans les dernières années du IIe siècle, par un chrétien[53]. Elles s'étalent largement dans l'œuvre d'Origène († 254), qui appartient à la génération qui suit celle de Tertullien.

Pour le docteur alexandrin, le propos de virginité permet d'accéder à une condition éminemment spirituelle[54]. L'abstinence sexuelle opère la libération des attaches terrestres les plus tenaces[55] et prépare l'âme de l'homme à s'approcher de Dieu, qui est Esprit[56]. La virginité préfigure la vie céleste,

---

49. J. STELZENBERGER, *Die Beziehungen der frühchristlichen Sittenlehre zur Ethik der Stoa*, Münich 1933.

50. ÉPICTÈTE III, 22, 69.

51. PHILOSTRATE, *Vita Apollonii* I, 13.

52. PLOTIN, *De abstinentia* I, 27.

53. H. CHADWICK, *The Sentences of Sextus*, Cambridge 1959.

54. H. CROUZEL, *Virginité et mariage selon Origène*, Paris 1963, p. 116 s.

55. Le thème de la libération des passions par l'ascèse n'est pas inconnu des écoles philosophiques ; cf. A.-J. FESTUGIÈRE, *La révélation de Hermès Trismégiste* II, Paris 1949, p. 270-309.

56. *Hom. in Num.* 6 ; *Hom. in Lev.*, 9.

où le mariage est aboli ;[57] elle restaure la condition paradisiaque, antérieure à la chute[58]. Pratiquer la continence, c'est aussi imiter le Christ et se préparer aux Noces de l'Agneau[59].

Dans la perspective origénienne, la perfection de la vie spirituelle est symbolisée par l'intégrité de la vierge, les degrés inférieurs et le monde du péché par la perte de cette intégrité[60]. Il va sans dire que ces comparaisons, dont les présupposés sont bibliques, tant pour décrire l'union de l'âme à Dieu que pour évoquer les avatars de l'alliance entre Yahweh et le peuple d'Israël, ne laissent pas de déprécier les réalités charnelles de la vie conjugale. Si Origène, incontestablement, voit dans le mariage une institution bénie par Dieu[61], ordonnée à la procréation, indispensable à la cité, il n'en considère pas moins le mariage comme un remède à la concupiscence, et le remariage comme une concession extrême à la faiblesse humaine, un remède honteux, dont il est humiliant d'avoir à user[62]. Origène ne croit pas que le Saint-Esprit soit présent aux relations conjugales[63] ; il déclare toutefois que les époux, unis par Dieu, possèdent un certain charisme[64]. Mais ce charisme n'existe que dans le mariage chrétien, « lorsque tout y est paix, accord, harmonie[65] ». Le mariage entre chrétiens et non-croyants n'a pas cette dignité, mais si l'infidèle croit, il commence à recevoir le charisme[66].

Origène a parlé des secondes noces d'une manière qui a pu prêter à méprise. « Ceux qui se sont mariés deux fois, déclare-t-il dans l'homélie XVII sur l'évangile de Luc, malgré leur bonne conduite et leurs autres vertus, ne font pas partie de l'Église

---

57. *Fragm. in Rom.*, 29.
58. *Hom. in Gen.*, 3, 6 ; *Comm. in Cant.*, 2 ; *De orat.*, 25, 3.
59. *Comm. in Joann.*, 1, 1.
60. *Fragm. in I Cor.*, 29, publié par C. JENKINS dans *J. ThS.* 9, 1908, p. 370 ; voir le commentaire de CROUZEL, *o.c.*, p. 64.
61. *Fragm. in I Cor.*, 43 ; *Comm. in Matth.*, XIV, 1.
62. CROUZEL, *o.c.*, p. 200-208.
63. *Hom. in Num.*, 6, 3 ; *Hom. in Lev.*, 12, 4.
64. *Comm. in Matth.*, XIV, 16.
65. *Fragm. in I Cor.*, 34 ; cf. *JThS* 9, p. 503.
66. *Ibid.*, cf. *fragm.*, 36 : Origène y affirme que le chrétien est souillé par le conjoint païen (*bebèloutai*) ; cf. TERTULLIEN, *Vx.*, II, 2, 6.

de Dieu ni du nombre de ceux ' qui n'ont ni tache ni ride ni aucun défaut de cette sorte ' (*Éphés.* 5, 27), mais ils sont placés au second rang, avec « ceux qui invoquent le nom du Seigneur » (*I Cor.* 1, 2) et qui sont sauvés au nom de Jésus-Christ, sans être pourtant couronnés par lui[67] ». Origène oppose ici le salut de ceux qui se sont remariés, à la couronne de gloire, plus resplendissante, que recevront « les parfaits », ceux qui ont gardé la virginité ou au moins un chaste veuvage. Il ne condamne pas le remariage, puisqu'il dit expressément que ses sectateurs parviennent au salut, sans pouvoir atteindre cependant le degré supérieur de la béatitude. Ce n'est là qu'une allégorie des réalités spirituelles, dira-t-on. Certes, mais les termes de la comparaison ne se chargent-ils pas du même coefficient dépréciatif ? Du reste, lorsqu'il passe de l'allégorie aux réalités concrètes, Origène ne fait pas mystère de ses préférences.

Pour le docteur alexandrin, le remariage est une imperfection ; il est le signe que l'on n'a pas dominé ses passions ; il marque l'abandon de la sobriété (*sophrosunè*) ; il n'est pas conforme à la nature d'Adam, qui fut monogame. Commentant la *Première aux Corinthiens*, Origène développe un argument que nous retrouverons chez Tertullien. Certes, l'Apôtre autorise le remariage ; il vaudrait mieux dire, toutefois, qu'il ne va pas jusqu'à les interdire absolument. Les proscrire, comme le font certains hérétiques, serait trahir sa pensée. Mais il est aisé de constater que l'Apôtre assortit son autorisation de reproches assez durs. « Vois si ce n'est pas déjà les accuser que de dire qu'ils ne peuvent garder la chasteté, quand s'adressant à des chrétiens, il leur dit : Mieux vaut se marier que de brûler (*I Cor.* 7, 9). Par ce mot : ' brûler ', il désigne la concupiscence de la chair, que le Logos ne parvient pas à éteindre, mais qui domine l'âme du pécheur. Pour nous, fidèles à l'enseignement de l'Apôtre, nous n'empêchons pas les secondes noces, car elles sont préférables à l'incendie. Mais une chose peut être meilleure, par comparaison au mal, sans être bonne, cependant[68] ».

---

67. Voir le commentaire de CROUZEL, dans l'édition de l'ouvrage parue dans *S.C.* 87, p. 262.
68. *Fragm. in I Cor.*, 35 (*JThS* 9, 503) ; cf. TERTULLIEN, *Vx.*, I, 3.3.

A l'instar de Clément d'Alexandrie, Origène semble ne voir dans le remariage qu'un exutoire à la concupiscence. Fidélité à la tradition paulinienne ? Il y a aussi l'influence de la tradition philosophique. Celle-ci se traduit dans une indifférence affectée pour les réalités économiques du mariage et dans l'ignorance délibérée des considérations humaines qui peuvent justifier, voire commander, une nouvelle union : les difficultés matérielles, l'éducation des enfants, le besoin d'un compagnon dans ses vieux jours... Les moralistes de profession du monde gréco-romain, païens et chrétiens, s'adressent en priorité à des milieux privilégiés par la naissance et la fortune. La loi du genre et les habitudes littéraires leur interdisent, comme une faute de goût, de rappeler avec insistance les humbles réalités de la vie conjugale ou de leur accorder une place prépondérante, aux dépens des réalités spirituelles. C'est ainsi qu'Origène admet qu'on laisse croire aux veuves qu'elles pécheraient en se remariant ; c'est une tromperie, mais elle leur est utile, puisque les secondes noces les feraient déchoir de la perfection[69].

La sévérité dont Tertullien poursuit les secondes noces n'est pas, on le voit, un phénomène unique, à mettre au compte d'un caractère outrancier. La tendance rigoriste, qui s'exprime dans l'*Ad uxorem*, a été fort répandue dans l'Église paléochrétienne ; elle s'est exercée non seulement contre le remariage mais, d'une manière plus radicale, contre les réalités mêmes du mariage et de la vie conjugale.

La doctrine patristique et la législation ont réagi contre les excès de certaines sectes hérétiques, qui condamnaient absolument les secondes noces. Mais l'une et l'autre, en Orient surtout, restent marquées par les tendances rigoristes. Si les Pères de Nicée (325) imposent aux novatiens réadmis dans l'Église de ne pas mépriser les remariés[70], le concile de Néocésarée impose une pénitence au conjoint remarié et refuse à ce mariage la participation du prêtre[71]. « S'il y a deux Christs, qu'il y ait aussi deux hommes et deux femmes, écrit Grégoire de Nazianze ;

---

69. *Hom. in Jerem.*, 19, 4 ; Cf. TERTULLIEN, *Vx.*, II, 1, 2.
70. C. 8 ; cf. GAUDEMET, *o.c.*, p. 546-548.
71. C. 3 et 7.

mais il n'y a qu'un Christ, une seule tête de l'Église, et il ne doit y avoir qu'une seule chair. Puisqu'une seconde épouse est défendue, que dire d'une troisième ? Une première c'est la loi ; une seconde, c'est tolérance et indulgence ; une troisième, c'est iniquité. Quant à celui qui dépasserait ce nombre, ce sont mœurs de pourceaux[72] ». Cette opinion a prévalu, en Orient, sur celle, plus indulgente, de saint Jean Chrysostome[73] et d'Épiphane de Salamine. Polémiquant contre les novatiens, hostiles aux secondes noces, Épiphane rappelle *I Cor.* 7, 39, et il conclut : « Il n'y a aucune raison pour limiter ce que l'Apôtre ne limite pas, ni de restreindre le droit qu'il reconnaît à la veuve. Quant son mari est mort, elle peut se remarier ; et ceci reste vrai, chaque fois qu'elle devient veuve. Ses mariages successifs seront « dans le Seigneur », si elle observe dans sa conduite les préceptes du Seigneur et les vertus de son état[74] ».

L'Occident ne s'est pas rallié non plus aux thèses de Tertullien. Certes, Ambroise, Augustin et Jérôme déconseillent les secondes noces, mais ils ne vont pas jusqu'à les interdire. Ils allèguent à leur tour, les arguments que les moralistes de la Rome classique avaient développés à l'envi : les conflits occasionnés par une nouvelle union, notamment entre les enfants du premier lit et ceux du second conjoint ; les devoirs de la fidélité conjugale, au delà de la mort. Ils reprennent les considérations générales chères à la morale paléochrétienne : la supériorité et les avantages du veuvage, la supériorité et l'éminente dignité de la continence. Mais ils se gardent bien de confondre le précepte et le conseil, comme Tertullien devenu montaniste ; ils reconnaissent la légitimité des secondes noces, et même leur opportunité en certains cas, par exemple pour assurer la direction du foyer et la défense de ses intérêts matériels[75].

Est-ce à dire que le pessimisme avec lequel le docteur africain a

---

72. *Oratio* 37 ; BASILE tolère secondes et troisièmes noces, mais au prix de pénitences de durée croissante et il qualifie de polygamie des mariages plus nombreux : *ep.*, 188, 4, cité GAUDEMET, p. 546.

73. Jean CHRYSOSTOME, *Hom. de libello repudii*, n. 4, *PG* 51, 223.

74. *Adv. Haereses*, haer. 59, n. 4, *PG* 41, 1025.

75. AMBROISE, *De uiduis* ; AUGUSTIN, *De bono uiduitatis* ; JÉRÔME, *Contra Jouinianum* 1 ; *ep.* 49 (48) et 123 ; cf. GAUDEMET, p. 547.

envisagé les réalités du mariage n'a pas marqué la tradition
occidentale ? S'il est difficile d'évaluer l'influence de ses écrits,
celle-ci ne peut être niée ; certes, les citations expresses de
l'*Ad uxorem* sont pratiquement inexistantes dans la patristique
latine, mais saint Jérôme s'est librement inspiré de plusieurs
passages de cette œuvre, afin de détourner ses correspondants
de tout projet matrimonial[76]. Et qui dira la part de Tertullien
dans l'atmosphère de défiance et de suspicion répandue en
Occident à l'égard des « biens de maryage »[77] ?

---

76. Notamment en *ep.*, 22, 17 ; 54, 7 et 15 ; 123, 7 (cf. *Vx.*, I, 6) et
11 (cf. *Vx.*, I, 2).

77. PREISKER, *o.c.*, p. 197-200 ; 248-260. Il est plaisant de voir comment Jérôme, qui ne se fait pas faute de plagier Tertullien, se démarque
de lui dans l'*Adversus Helvidium*, 17, en le traitant d'hérétique : « non
fuisse *ecclesiae hominem* » (*PL* 23, 201 B).

LE PROBLÈME DES MARIAGES MIXTES

La question des secondes noces après veuvage, qui fait l'objet de l'*Ad uxorem* I, a occupé une place relativement importante dans les débats de morale conjugale de l'Église ancienne ; elle se rattache, en effet, à des discussions fondamentales sur la légitimité du mariage comme tel et sur la nécessité de cultiver l'ascétisme sous toutes ses formes, notamment par le renoncement aux relations conjugales. Le lecteur moderne a quelque peine à concevoir qu'une décision de pure convenance personnelle, comme le remariage des veufs, ait pu être l'objet d'attaques aussi résolues de la part de Tertullien. Mais le docteur africain, nous l'avons vu, s'inscrit dans un mouvement large et puissant, dont les effets sont encore perceptibles, en Orient du moins, jusqu'à la fin du premier millénaire[1]. En Occident, la question du remariage après veuvage, ne fait plus problème depuis des siècles.

En revanche, la question des « mariages mixtes », dont traite le deuxième livre de l'*Ad uxorem*, n'a rien perdu de son actualité[2]. Certes, la pratique canonique et pastorale a procédé récemment à une très nette libéralisation en matière de « mariages mixtes » proprement dits, c'est-à-dire quand il s'agit d'unions entre chrétiens de confessions différentes. Mais les unions en « disparité de culte », entre catholiques et fidèles de religions non chrétiennes ou entre catholiques et non-croyants, demeurent l'objet des

---

1. K. RITZER, *Le mariage dans les Églises chrétiennes*, Paris 1970, p. 163-166.

2. L'ouvrage de base concernant les mariages mixtes de l'époque paléochrétienne demeure celui de J. KÖHNE, *Die Ehen Zwischen Christen dun Heiden in den ersten christlichen Jahrhunderten*, Paderborn 1931.

plus vives préoccupations ; en effet, aussi bien dans les jeunes chrétientés d'Afrique et d'Asie que dans les communautés chrétiennes, de plus en plus minoritaires au sein du néo-paganisme européen ou américain, les difficultés de tout ordre liées à ce type d'unions renaissent indéfiniment. C'est dire que les observations consignées par Tertullien dans l'*Ad uxorem* II demeurent toujours valables, car elles sont saisies au vif des réalités quotidiennes des couples dispars.

Le droit romain classique ne connaît pas d'interdiction de mariage pour le motif de religion ; il en va de même en droit hellénistique et dans les cités du Proche-Orient, où la religion chrétienne fut appelée à se propager. La tradition juive, au contraire, de longue date, s'était montrée hostile aux unions entre les fils d'Israël et les « filles de Canaan[3] ». « Garde-toi, mon fils Jacob, recommande Rébecca, au Livre des Jubilés, garde-toi de prendre une épouse parmi les filles de Canaan, car toute cette race doit être exterminée de la face de la terre[4]. » La crainte des contaminations idolâtriques et des déviations morales liées à certains cultes païens fonde cette répugnance. L'affrontement du judaïsme à la civilisation hellénistique à partir du IIIe siècle avant Jésus-Christ, la guerre contre les Séleucides, l'opposition pharisienne à la dynastie des Asmonéens, la domination romaine, ne firent qu'intensifier le processus. Les épreuves du Ier et du IIe siècle et les deux guerres juives ont conduit les chefs spirituels de la nation à renforcer à l'extrême les mesures de protection du judaïsme : l'interdiction des mariages mixtes constituait l'une des plus rigoureuses et des plus efficaces[5]. Les premières communautés chrétiennes ont hérité de la tradition juive l'horreur du paganisme et la crainte des contaminations idolâtriques. Dès les origines, le mariage d'un chrétien avec un païen dut susciter les plus graves réserves. Et si les écrits du Nouveau Testament ne connaissent

---

3. *Mal.* 2, 11 ; *Tob.* 4, 12 ; *Sag.* 3, 13-14 ; 12, 5 ; 14, 23-24 ; *Sir.* 23, 16-27, *etc.*

4. *Jub.*, 20, 4 ; cf. 30, 7-11 ; 41, 2 ; *Testament de Lévi* 9, 10 ; JOSÈPHE, *Ant. iud.* VIII, 191 ; PHILON, *De spec. leg.*, 3, 29.

5. Les textes talmudiques sont rassemblés dans STRACK-BILLERBECK II, p. 372-394.

pas d'interdiction à l'encontre de telles unions, n'est-ce pas, précisément, parce que les fidèles ont eu tellement à cœur de les éviter, que les chefs des communautés n'ont pas eu à en inculquer la règle ? Normalement, les chrétiens devaient se marier entre eux. Les préceptes donnés par saint Paul aux Corinthiens concernent essentiellement des unions entre chrétiens ; elles devaient être la grande majorité.

Mais, à Corinthe même, se pose le cas d'unions préchrétiennes, dont l'un des conjoints s'est converti ensuite. Faut-il les maintenir ? A quelles conditions ? Puisqu'il n'existe pas de parole du Seigneur s'y rapportant, Paul va légiférer lui-même à ce sujet, en vertu de son autorité apostolique. Il envisage successivement deux hypothèses : d'abord celle où le conjoint non croyant consent à cohabiter avec l'époux devenu chrétien, puis celle où il décide de le quitter. Dans les deux cas l'Apôtre règle l'attitude de la partie chrétienne sur celle du partenaire non chrétien, à qui seul reviendra l'initiative de la séparation. Paul fait dépendre le maintien du mariage de la seule volonté de l'époux non croyant, mais il veille, en même temps, à ne point imposer au chrétien de contrainte insupportable. Ce dernier doit être prêt à maintenir la vie commune, mais si le conjoint païen décide de se séparer, l'Apôtre lui en reconnaît le droit : l'époux chrétien doit consentir à la séparation ; s'il prétendait maintenir le mariage à tout prix, fût-ce dans la pensée de « sauver » le conjoint, c'est-à-dire de l'amener à la foi, ce serait là une prétention abusive, aux yeux de l'Apôtre. En effet, quels fruits spirituels peut-on espérer d'une union maintenue contre la volonté de l'un des partenaires ? « Dieu vous a appelés à vivre dans la paix[6] », rappelle saint Paul, qui lève ainsi les objections de la partie chrétienne, soucieuse du bien spirituel de son conjoint.

La réponse de l'Apôtre met en relief l'importance primordiale du consentement des époux dans l'institution matrimoniale et le maintien de la vie commune. Pour saint Paul, la volonté conjointe de cohabiter pacifiquement constitue le présupposé

---

6. *I Cor.* 7, 15.

indispensable à la réussite des « mariages mixtes » — il vaudrait
mieux dire : des unions devenues mixtes du fait de la conversion
au christianisme de l'un des époux. « Si un frère a une femme
non croyante qui consente à cohabiter avec lui, qu'il ne la
répudie pas, écrit l'Apôtre. Et si une femme (chrétienne) a un
mari non croyant qui consente à cohabiter avec elle, qu'elle
ne le répudie pas » (versets 13-14). Les motifs sur lesquels
l'Apôtre fonde sa décision ne sont pas explicités ; aussi les
commentateurs ont-ils cherché à les dégager du contexte immé-
diat et des idées-forces de saint Paul.

L'Apôtre déclare que le conjoint non chrétien se trouve sanctifié
(*hègiastai* : au parfait passif) par son partenaire chrétien[7].
Comme preuve de son assertion, il développe un argument *ab
absurdo*, dont le sens demeure discuté. « S'il en était autrement,
vos enfants seraient impurs, alors qu'ils sont saints » (v. 14 b).
On a rapproché ce verset d'une déclaration du Talmud de Baby-
lone, d'après laquelle, si une prosélyte était enceinte, son enfant
n'aurait pas à être baptisé à sa naissance, car le baptême de
la mère vaut aussi pour l'enfant[8]. Mais l'Apôtre songe-t-il, dans
le passage en question, aux enfants nés de « mariages mixtes »,
aux enfants nés de mariages chrétiens ou à ceux qui sont déjà
nés avant la conversion des époux ? Du reste, les enfants des
chrétiens recevaient-ils le baptême, dès cette époque ? Était-il
déjà considéré comme nécessaire pour être admis dans l'Église ?
Aux yeux de l'Apôtre, l'appartenance des parents ou de l'un
deux seulement, au Corps du Christ ne suffisait-elle pas à ratta-
cher leurs enfants, au moins indirectement, à l'Église ? L'Apôtre
n'explicite pas sa pensée sur la manière dont s'opère la sanctification des enfants ; il la suppose connue de ses interlocuteurs[9].

---

7. *I Cor.* 7, 14.
8. *Jebamoth* 78a.
9. Pour J. DAUVILLIER, *Les temps apostoliques*, Paris 1970, p. 406,
« saint Paul s'oppose à la conception juive, beaucoup plus rigoriste ; elle
ne considérait les enfants des prosélytes comme conçus dans la ' sainteté '
légale, que si leur père et leur mère étaient tous deux passés au judaïsme ».
Mais cette opinion fut-elle la seule professée, même à l'époque tannaïte ?

Mais il faut avouer que le raisonnement analogique élaboré à partir de ces prémisses n'est pas d'une clarté aveuglante.

Un point demeure acquis, cependant : de même que les enfants (même non baptisés) de chrétiens sont rattachés à l'Église par l'intermédiaire de leurs parents, ainsi le conjoint non croyant est déjà sanctifié « objectivement » ; il appartient déjà, dans une certaine mesure, au Corps du Christ qui est l'Église, puisqu'il est uni à la personne de son conjoint chrétien, qui appartient à ce Corps en plénitude. Il lui reste toutefois à devenir pleinement, par une adhésion personnelle, ce qu'il est déjà selon la figure, l'espérance, la promesse. Paul, en effet, laisse entendre qu'un tel mariage mixte, fondé sur le respect et la compréhension réciproques, pourra être couronné par l'accès à la foi du conjoint non croyant[10].

L'Apôtre n'a pas eu à se prononcer sur la question des mariages mixtes que des chrétiens envisageraient de contracter, soit en premières noces, soit après divorce d'un conjoint païen (conformément à l'hypothèse envisagée au verset 15). Quelle réponse aurait-il donnée, si les Corinthiens l'avaient interrogé à ce sujet ? Aurait-il déconseillé, voire formellement interdit, de semblables unions ? Aurait-il, malgré une opposition de principe, admis des exceptions, dans la mesure où les dispositions favorables des futurs envers le christianisme laisseraient bien augurer de l'avenir du foyer ? Mais comment juger de la sincérité de ces dispositions, de leur stabilité ? Certains, appliquant aux mariages mixtes, non encore conclus mais seulement projetés, les critères proposés par l'Apôtre pour les unions préchrétiennes devenues mixtes, ont estimé qu'il n'y avait pas lieu de les interdire de manière absolue, si la pensée et la conduite du partenaire non croyant ne contredisaient pas l'idéal chrétien et n'empêchaient pas une cohabitation pacifique[11]. D'autres ont pensé que la prudence,

---

10. *I Cor.* 7, 14-16.
11. Le témoignage le plus net à cet égard est celui d'ÉPIPHANE DE SALAMINE († 403), *Panarion* 59, 6 : « ... l'expression ‘ dans le Seigneur ’ signifie non dans la fornication, dans l'adultère, les unions furtives, mais dans la légitimité, la franchise, dans un mariage respectable, en restant dans la foi et les préceptes du Seigneur et les vertus de son état. Toutes ces vertus étant et demeurant en eux (‖ les remariés après veuvage)

sinon la défiance, devaient l'emporter : la partie chrétienne, en toute hypothèse, serait l'objet de contraintes et de pressions susceptibles de la détourner de sa foi ; comment, pourrait-elle, sans conflit, pratiquer sa religion auprès d'un époux qui lui serait étranger ou hostile ? Telle sera la position de Tertullien, qui allègue, en outre, le précepte donné par l'Apôtre aux veuves désireuses de se remarier : « La femme demeure liée à son mari aussi longtemps qu'il vit ; mais si le mari meurt, elle est libre d'épouser qui elle veut, dans le Seigneur seulement » (*I Cor.* 7, 39).

La plupart des commentateurs ont compris que l'Apôtre demandait à la veuve qui se remarie de n'épouser qu'un chrétien. Tel est, en effet, le sens obvie de la prescription. L'expression, typiquement paulinienne : *in Christo*, signifie : dans le Corps du Christ, c'est-à-dire : dans l'Église. En règle générale, un mariage entre chrétiens sera préférable. Mais cette règle ne souffre-t-elle aucune exception ? L'Apôtre a-t-il compris sa prescription comme un interdit rigoureux, inviolable ? Et comment les chefs des communautés ont-ils interprété le précepte apostolique : comme une prescription intangible ou comme une simple recommandation, susceptible de certains accommodements ? Nous avons signalé plus haut l'opinion d'Épiphane de Salamine († 403), plus connu pour son ardeur à pourfendre l'hérésie. N'est-il pas significatif qu'un esprit aussi sévère n'impose pas à la veuve qui se remarie de n'épouser qu'un chrétien, mais qu'il approuve l'union qu'elle contracte, si elle observe dans sa conduite les préceptes du Seigneur et les vertus de son état[11a] ? N'est-ce pas suggérer qu'un mariage mixte ne serait pas nécessairement répréhensible, dans la mesure où le conjoint non croyant ne mettrait pas obstacle à la pratique religieuse de l'époux chrétien ?

Fautes de documents, littéraires ou épigraphiques, il est

---

ne laissent pas de les rendre actifs et féconds pour la venue du Seigneur » ; (trad. de H. CROUZEL, *L'Église primitive face au divorce*, Paris 1971, p. 227'. On trouvera d'autres témoignages relatifs aux mariages entre chrétiens et païens dans J. GAUDEMET, *L'Église dans l'Empire romain* (IVe-Ve siècles), Paris 1958, p. 526.

11a. Certains exégètes modernes reprennent l'opinion d'Épiphane pour interpréter l'expression paulinienne : *in Christo* ; cf. LESLIE, *o.c.* p. 86.

impossible de savoir comment les communautés des trois premiers siècles ont appliqué concrètement les recommandations de l'Apôtre au sujet des mariages mixtes, déjà conclus ou à conclure. Le témoignage de Tertullien, au début du IIIe siècle, est pratiquement le seul qui nous permette d'observer la vie quotidienne et domestique des couples dispars de l'époque paléochrétienne. Et le fait est que, malgré les inconvénients et les difficultés de tout ordre liés à ce type d'unions, les chrétiennes ne craignaient pas de s'y engager, approuvées, semble-t-il, par le clergé local[12].

S'il est légitime de conjecturer que les chrétiens, dès les origines, ont préféré se marier entre eux, il est impossible d'exclure l'existence de mariages mixtes, plus ou moins nombreux selon les lieux et les temps. La situation qui nous est révélée par Tertullien, pour Carthage, au début du IIIe siècle, n'a pu se créer du jour au lendemain ; elle n'a pas été limitée à l'Afrique. Pour éviter à leurs fidèles de s'engager imprudemment dans de telles unions, les chefs d'églises ont pu intervenir avec autorité, conscients de leur responsabilité pastorale. La prescription d'Ignace d'Antioche va dans ce sens : « Il convient aussi aux hommes et aux femmes qui se marient, de contracter leur union avec le consentement de l'évêque, écrit-il dans sa lettre à Polycarpe, afin que leur mariage se fasse selon le Seigneur et non selon la passion[13]. » Mais cette recommandation est-elle devenue une règle générale ? Dans quelle mesure est-elle passée dans les faits ? Sous quelle forme ? Aucun témoignage de l'époque paléochrétienne ne permet de répondre à ces questions avec certitude. Tout au plus peut-on inférer des décisions conciliaires du IVe siècle que le recours à des sanctions canoniques en vue d'empêcher les mariages mixtes est un usage relativement récent. En effet, Tertullien s'ingénie à démontrer qu'un mariage mixte est un délit comparable à un adultère, afin de le faire sanctionner par une excommunication[14]. N'est-ce pas reconnaître que l'usage des mariages mixtes, malgré la réprobation qu'il pouvait susciter

---

12. TERTULLIEN, *Vx.*, II, 2, 1.
13. *Ad Polyc.*, 5, 2.
14. *Vx.*, II, 3, 1-2.

auprès de certains, n'était pas frappé de peines ecclésiastiques ?
Pas encore, du moins.

Le témoignage de Tertullien est intéressant à un autre titre.
Il révèle que les unions mixtes étaient inévitables, à moins
de condamner les jeunes filles et les jeunes veuves chrétiennes,
en surnombre dans les communautés, à garder le célibat, faute
de trouver un partenaire de leur religion. Le phénomène est
particulièrement crucial dans les couches supérieures de la
société. Il le restera jusqu'à la fin du IVe siècle, longtemps après
l'instauration de l'Empire chrétien. Si elles voulaient fonder
une famille ou échapper à la solitude du veuvage ou du célibat,
un nombre relativement important de chrétiennes se trouvaient
contraintes d'épouser des païens[15].

Pouvait-on leur faire grief d'une nécessité ? Du reste, les
unions mixtes se présentaient parfois sous des auspices favorables : le conjoint était bien intentionné ; on pouvait même escomp-
ter sa conversion, à plus ou moins brève échéance. Ou bien encore
il était indifférent en matière de religion et dépourvu de tout
préjugé hostile à la foi chrétienne : certainement il ne ferait pas
obstacle à la pratique religieuse de l'épouse, qu'il laisserait libre
de faire baptiser les enfants. En ces cas, les responsables des
communautés, à supposer que leur consentement ait été requis,
n'avaient pas de motif déterminant d'interdire l'union projetée.
Tel semble avoir été le cas visé par Tertullien : si les conseillers
de l'intéressée — était-elle veuve ou divorcée d'un époux païen ?
— n'ont pas cru devoir ni pouvoir la dissuader d'épouser un
païen en secondes noces, est-on en droit de les condamner sans
plus[16] ? Le mariage ainsi contracté n'offrait-il pas de bonnes
garanties de stabilité, de liberté religieuse, de tolérance, pour
la partie chrétienne ?

Certes, parfois, des difficultés pouvaient surgir après coup,

---

15. Excellentes observations de H.-I. MARROU, sur la pénétration
graduelle du christianisme dans le milieu sénatorial romain, *Nouvelle
histoire de l'Église* I, Paris 1963, p. 338 s.

16. *Vx.*, II, 2, 1 : Tertullien parle de *praeuaricatio*. Faut-il comprendre :
mauvaise foi, ou trahison à l'égard de leur devoir d'interpréter correctement les saintes Écritures ? Mais l'auteur ne joue-t-il pas sciemment
sur les divers sens du terme ?

lors même que l'union avait été conclue sous les meilleurs auspices. Tertullien les a décrites avec une ironie vengeresse, comme si toutes les chrétiennes mariées à des païens devaient nécessairement perdre la foi et se voir dépouillées de leur fortune personnelle[17]. Il est vrai que le conjoint païen pouvait parfois rechigner devant certaines manifestations ostentatoires de la piété chrétienne : jeûnes répétés, offices célébrés à des heures inhabituelles ou se prolongeant très avant dans la nuit, œuvres de bienfaisance plus ou moins spectaculaires, telles les visites aux prisonniers, l'accueil d'étrangers de passage, diverses prodigalités[18]. Par ailleurs, certains usages chrétiens devaient paraître étranges ; analogues à certaines pratiques magiques, ils pouvaient provoquer la défiance, voire la répugnance, des esprits les moins prévenus[19].

Mais Tertullien n'exagère-t-il pas les inconvénients liés aux mariages mixtes ? Comment le croire, quand il affirme que les seuls prétendants qui s'offrent, parmi les païens, pour épouser des chrétiennes, sont des chasseurs de dot, avides de dépouiller leurs naïves victimes[20] ? Il n'est pas superflu, à cet égard, de citer le témoignage d'Origène. Le docteur alexandrin, souligne lui aussi, que des convictions religieuses différentes engendrent nécessairement des conflits et causent bien des souffrances ; c'est pourquoi il déconseille aux jeunes chrétiennes de s'engager en des unions mixtes, car elles risquent fort d'avoir le dessous dans une lutte inégale. Mais la lutte dont parle Origène se livre dans les discussions quotidiennes sur des sujets religieux[21]. Chacun dialoguant dans la surabondance de son cœur (*Matth.* 12, 34), avec le temps l'un finit par vaincre l'autre tout à fait. Quel besoin pour les chrétiennes de se soumettre à cette lutte, de courir un tel danger ? On est loin, assurément, de l'atmosphère étouffante évoquée par Tertullien, d'une tolérance mercantile qui sert de paravent au chantage le plus éhonté.

---

17. *Vx.*, II, 5, 3.
18. *Vx.*, II, 4, 1-3.
19. *Vx.*, II, 5, 2.
20. *Vx.*, II, 7, 3.
21. Fragm. in *I Cor.*, 36.

Il faut franchir l'espace d'un siècle et se reporter aux décisions conciliaires des premières années du IVe siècle, pour voir se préciser la pratique de l'Église en matière de mariages mixtes. Elle s'inscrit manifestement dans la ligne esquissée par Origène. Les Pères d'Elvire et d'Arles condamnent, en effet, les mariages des chrétiennes avec des païens, mais plus sévèrement encore les unions avec des hérétiques ou des juifs. Quant aux parents qui donnent leurs filles en mariage à des prêtres païens, ils sont frappés d'une excommunication à vie, car ils les vouent, pratiquement, à l'apostasie[22]. Déjà se dessinent les solutions de l'Empire chrétien : large tolérance à l'égard des mariages mixtes conclus avec des païens, sévérité accrue à l'encontre des unions avec des hérétiques et des juifs, par crainte de l'affrontement de convictions religieuses difficilement conciliables. Ce qui motive la différence des sanctions canoniques, on le voit, ce n'est pas la distance religieuse d'une confession à l'autre, mais la force supposée des convictions de la partie non chrétienne et le danger supputé pour la foi du chrétien.

---

22. Elvire, c. 15-17 ; Arles (314), c. 11 ; cf. Ch. MUNIER, *L'Église dans l'Empire romain*, p. 27 ; GAUDEMET, *o.c.*, p. 526.

IV

L'ORIGINALITÉ DE TERTULLIEN

Si les problèmes de morale conjugale abordés dans l'*Ad uxorem* sont des thèmes communs de la tradition paléochrétienne, le docteur africain ne les a pas moins marqués de sa puissante personnalité ; en ce domaine comme en d'autres, son intervention a exercé une influence profonde et durable sur l'Occident chrétien. Comparée à celle de ses prédécesseurs et contemporains, l'œuvre de Tertullien présente plusieurs traits originaux ; si tous n'apparaissent pas également dans l'*Ad uxorem*, qui reste un écrit mineur et par ses dimensions et par son sujet, deux méritent, cependant, d'être relevés, parmi d'autres : l'interprétation scripturaire, la recherche stylistique.

A. L'interprétation scripturaire

Pour Tertullien, les Écritures sont les *instrumenta*[1], les moyens de preuve de la *disciplina* chrétienne, et celle-ci embrasse aussi bien les vérités à croire que les règles de vie à observer[2]. Puisqu'elles expriment la parole de Dieu, les Écritures sont revêtues d'une autorité toute divine[3]. Celle-ci ne leur vient pas de l'Église, mais l'Église reconnaît la valeur des écrits transmis par les porte-parole de Dieu, de l'Ancien et du Nouveau Testament et conserve précieusement les Écritures qui font partie de la tradition apostolique[4].

---

1. R. BRAUN, *Deus christianorum*, p. 463-473.
2. V. MOREL, *Disciplina*, p. 5-46.
3. D'ALÈS, *La théologie de Tertullien*, p. 221.
4. *Ibid.*, p. 213-214 ; cf. *Praesc.*, 20-22.

Une fois reconnues les Écritures divines il s'agit d'en pénétrer le sens. Pour Tertullien, ce sens est unique, contraignant, indiscutable, tant pour les vérités théologiques de la *regula fidei* que pour les normes d'une conduite authentiquement chrétienne. Pour l'atteindre, il n'est qu'un chemin : rejoindre le sens original déposé par les apôtres dans les Écritures et enseigné aux églises qui conservent ces écrits en dépôt. L'Écriture doit être interprétée en harmonie avec la tradition des églises apostoliques ; celle-ci s'exprime dans la règle de foi qu'elles professent et enseignent, et dans la règle de vie qu'elles observent en conformité avec cette foi.

Tertullien a exposé ces principes généraux avec toute la clarté et la fermeté désirables, non seulement dans le *De praescriptione haereticorum* mais, de manière incidente, à l'occasion de discussions concernant des points de doctrine particuliers[5]. Force est, cependant, de constater que l'auteur, généralement fidèle à la *regula fidei*, en ses aspects proprement dogmatiques, n'hésite pas à interpréter à sa guise les Écritures, sans tenir compte du magistère vivant de l'Église, dès lors qu'il s'agit de questions relevant de la théologie pratique[6]. Tout le drame de Tertullien éclate dans l'obstination têtue avec laquelle il continue alors, envers et contre tous, de se réclamer de la vérité des Écritures. Mais est-ce vraiment celle-ci qui lui tient à cœur ou, bien plutôt, les préceptes que lui, Tertullien, juge nécessaires au salut des chrétiens et dont il justifie la nécessité à grand renfort de citations bibliques[7] ? Cette propension à se servir du texte sacré pour étayer sa vérité apparaît déjà dans l'*Ad uxorem* ; avec le temps, elle devait conduire l'auteur à s'opposer de plus en plus irréductiblement à ce magistère vivant de l'Église, dont il avait pourtant maintes fois souligné le rôle éminent et irremplaçable pour l'intégrité de la *disciplina*.

5. M. MICHAÈLIDÈS, *Foi, Écritures et Traditions*, p. 71-97.

6. J. KLEIN, *Tertullian*, p. 115-117 ; 248-251 ; cf. Cl. RAMBAUX, *Tertullien face aux morales des trois premiers siècles*.

7. R. P. C. HANSON, « Notes on Tertullian's Interpretation of Scripture », *JTS*, new series 12, 1961, p. 273-279 ; O. KUSS, « Zur Hermeneutik Tertullians », dans *Festschrift f. Prof. J. Schmid*, 1963, p. 138-160.

1. La thèse de l'Ad uxorem I

Tertullien veut persuader sa femme de ne pas se remarier si elle devient veuve. La *Première aux Corinthiens* lui fournirait tous les éléments d'une exhortation conforme à ses désirs. S'il voulait formuler une thèse fidèle à la pensée de l'Apôtre, rien ne lui serait plus facile que de dire : il est licite de se remarier, mais en certains cas, pour diverses raisons, le propos de viduité peut être préférable. C'est bien dans cette direction, en effet, que la démonstration semble s'orienter, au départ ; en *Vx.*, I, 2, 1-3, 1, Tertullien s'emploie à réfuter les objections préalables : celle qui mettrait en cause le mariage comme tel et, par contre-coup, le remariage ; celle qui tirerait argument de la polygamie des patriarches pour justifier non seulement la digamie successive, mais la bigamie simultanée ; celle, enfin, qui prétendrait, au nom des principes de l'Évangile, imposer à tous les chrétiens la loi de la continence.

Or, soudain, dans la transition qui annonce la *propositio* centrale de son traité, Tertullien opère une volte-face subtile : si l'Écriture, nulle part, n'interdit le mariage, c'est parce que, véritablement, le mariage est un bien ; mais, comme l'enseigne l'Apôtre, la continence est un bien supérieur[8]. D'où l'énoncé de la thèse : le mariage monogame est permis ; mais la continence est préférable. Tout se passe désormais comme si la question à examiner (le remariage d'une veuve) n'avait plus de consistance propre, mais devenait un simple corollaire de la nouvelle thèse, subrepticement proposée par Tertullien et présentée par lui comme exprimant la doctrine même de l'Écriture. Mais cette assertion est-elle fondée ?

Nous avons présenté plus haut le dossier scripturaire relatif au problème du remariage après veuvage. Celui de Tertullien a fait l'objet de plusieurs études approfondies, dont les conclusions sont sans appel[9]. L'argumentation du rhéteur africain est

---

8. *Vx.*, I, 3, 2.
9. H. PREISKER, *Christentum und Ehe*, p. 187-200 ; B. KÖTTING, *Die Beurteilung der zweiten Ehe*, p. 122 s. ; du même art. « Digamus », *RAC*,

insoutenable : non seulement elle est directement contredite
par l'Écriture, mais elle n'obtient une apparence de vraisem-
blance qu'au prix d'omissions délibérées et de gauchissements
fallacieux. Et d'abord, Tertullien escamote les versets ou parties
de versets qui autorisent expressément le remariage après veuvage, comme *I Cor.* 7, 9a ou *Rom.* 7, 2-3, ou qui le recommandent
dans certains cas, comme *I Tim.* 5, 14. Après avoir déplacé la
question, subrepticement, du remariage au mariage comme tel,
Tertullien affirme, cette fois encore contre l'évidence scripturaire, que — sous sa forme monogame — le mariage est (seulement) permis, alors qu'il est une institution essentielle à l'ordre
de la création. Il suggère enfin que la continence est, de toutes
façons, préférable au mariage ; à plus forte raison pour les veuves.
Mais il ne peut établir cette nouvelle thèse qu'en érigeant l'exception en principe, l'ordre formel en une pure concession, le simple
conseil en un ordre péremptoire, avant de travestir un jour
la permission expresse en une défense absolue[10].

D'entrée de jeu, Tertullien traite l'institution du mariage,
dont il vient de déclarer qu'elle est une institution établie par
Dieu et indispensable à l'ordre de la création (en rappelant *Gen.* I,
28 et 2, 24), comme si elle n'était qu'une concession, nécessaire
mais déplorable, aux plus vils instincts de l'homme[11]. Tout
se passe, en effet, comme si l'auteur appliquait au mariage lui-
même le verset de *I Cor.* 7, 6, dont nous avons vu qu'il concernait
les périodes d'abstinence instaurées par les époux désireux de
vaquer à la prière. La plupart des paralogismes auxquels Tertullien a tenu mordicus toute sa vie, de l'*Ad uxorem* au *De monoga-*
mia, semblent découler de ce contre-sens initial. Une bonne
partie de l'argumentation de l'*Ad uxorem* I consiste à démontrer
que le mariage n'est pas un bien, au sens plénier du terme,

1957, col. 1020-1024 ; J. Cl. FRÉDOUILLE, *o.c.*, p. 100-109 ; Cl. RAMBAUX,
art. cit., p. 3-28 ; R. BRAUN, *Tertullien et l'exégèse de I Cor.* 7.

10. Notamment en *Mon.*, 11-13, 3 ; cf. FRÉDOUILLE, *o.c.*, p. 136-141 ;
RAMBAUX, *art. cit.*, p. 209-215, observe que, « même sans transformer
matériellement le texte, Tertullien parvient quand même à lui faire dire
le contraire de ce qu'il signifie », et analyse le traitement infligé à I Cor. 7,
5 ; 27-28 et 39, dans le *De monogamia*.

11. *Vx.*, I, 3, 2-5.

puisqu'il est seulement « permis » : s'il a fallu recourir à une
« permission », c'est pour éviter quelque mal, pour quelque motif
inavouable ou suspect ; en revanche, un bien authentique n'a
pas à être permis, car son excellence est manifeste et indiscutée[12].
A partir de telles prémisses, tous et toutes sont invités à se
détourner des apparences du bien, des choses inférieures, régies
par l'institution matrimoniale, pour ne rechercher que les biens
supérieurs, les seuls véritables — et ici Tertullien applique au
mariage et à l'abstinence sexuelle ce que l'Apôtre dit des biens
terrestres[13] opposés aux biens célestes (*Phil.* 3, 13 ; *I Cor.* 12, 31).
Mais le rhéteur africain va franchir un pas de plus : opposant
l'inférieur au supérieur, le terrestre au céleste, la chair à l'esprit,
jouant des divers sens du terme *sanctitas*[14], il conclut à l'adresse
des veuves désireuses de se remarier : puisque nous pouvons
compter sur la force de l'Esprit qui est en nous, nous sommes
inexcusables si nous suivons la partie de nous-mêmes qui est
la plus faible, à savoir la chair et les pulsions qui s'y rattachent[15].
La réfutation des arguments invoqués pour justifier le mariage
ou le remariage achève de discréditer les insensés qui voudraient
s'y engager[16].

Cependant qu'il jette la suspicion sur les réalités charnelles
du mariage, Tertullien transmue en préceptes, dont il fait
dépendre le salut, les conseils de continence adressés par l'Apôtre
aux Corinthiens. A première vue, il semble traduire fidèlement
la pensée de l'Apôtre. De fait, Paul ne cache pas son estime, voire
ses préférences personnelles, pour toutes les formes de l'abstinence sexuelle (*I Cor.* 7, 1.7a.8.26.28b.35.37.38b.40). C'est
pourquoi il recommande instamment les états de vie qui la
consacrent : la virginité, le célibat, la viduité. Cependant il

---

12. *Vx.*, I, 3, 5.
13. *Vx.*, I, 4, 1.
14. *Vx.*, I, 4, 3 ; 7, 4 ; 7, 5. Si Tertullien n'est pas à l'origine du mouvement qui tend à établir une correspondance immédiate entre abstinence
sexuelle et « sainteté », il a, sans aucun doute, contribué à le renforcer ;
cf. PREISKER, *o.c.*, p. 192 ; KLEIN, *o.c.*, p. 96, citant précisément *Vx.*, I, 4
et 7, et *Pud.*, I, I : *Pudicitia... fundamentum sanctitatis*.
15. *Vx.*, I, 4, 1-2.
16. *Vx.*, I, 4, 2- 5, 4.

précise bien, chaque fois, que son opinion — donnée à titre personnel — n'est pas à mettre sur le même plan qu'un précepte du Seigneur (*I Cor.* 7, 25b.40b ; cf. 8a.28b.35a), et que les conseils donnés dans ce sens ne valent ni pour tous les individus de telle ou telle catégorie de chrétiens (*I Cor.* 7, 2.7b.9.28a.36.38a.39b), ni en toutes circonstances (*I Cor.* 7, 5-6). Tertullien reprend explicitement ou par mode d'allusion plusieurs de ces versets ; il fait ressortir les motifs qui justifient les préférences et les recommandations de l'Apôtre : les difficultés et les angoisses des derniers temps, les intérêts supérieurs du service de Dieu. Mais il se garde bien de marquer les limites personnelles et réelles des assertions pauliniennes[17]. Il argumente comme si l'Écriture, par l'intermédiaire de l'Apôtre, établissait une fois pour toutes et sans admettre aucune exception la supériorité de l'abstinence sexuelle, comme si, pour tous les individus pris isolément, et abstraction faite des circonstances particulières, le célibat et la virginité étaient toujours préférables au mariage, et la viduité toujours préférable au remariage.

Pour habile qu'elle soit, l'argumentation de Tertullien ne saurait convaincre que des interlocuteurs d'avance gagnés à ses idées, ignorants des Écritures non moins que des règles élémentaires de la logique[18].

2. *La thèse de l'Ad uxorem II*

La deuxième partie du traité tranche sur la première par une fidélité apparemment scrupuleuse à la lettre de l'Écriture et par une argumentation d'une extrême rigueur, très scolaire d'allure. Il n'est pas interdit de penser que ce changement de ton est dû, en partie, aux critiques soulevées par la publication de l'*Ad uxorem* I. La question des mariages mixtes, ravivée par une affaire locale, parut à Tertullien offrir une bonne occasion de prendre une revanche contre ses détracteurs ; il s'y employa à fond.

---

17. Nous souscrivons entièrement aux remarques faites, à ce propos, par Fredouille, *o.c.*, p. 101-107, et Rambaux, *art. cit.*, p. 10-26.

18. C'est aussi la conclusion de Rambaux, *art. cit.*, p. 23-26.

Cette fois, l'auteur croit pouvoir fonder toute son argumentation sur un verset de l'Écriture, dont le sens est indiscutable : *I Cor.* 7, 39. Si une veuve tient absolument à se remarier, qu'elle le fasse, déclare en substance l'Apôtre, malgré ses préférences pour la virginité et le célibat — mais que son remariage, du moins, soit célébré « dans le Seigneur ». Comme la plupart des commentateurs, jusqu'à nos jours, Tertullien a compris que l'Apôtre demande à la veuve qui se remarie d'épouser un chrétien[19].

Malgré le précepte de l'Apôtre, une pratique plus indulgente tendait à se généraliser, non seulement dans le cas du remariage des veuves, explicitement visé par le verset en question, mais pour tous les mariages mixtes à conclure. La première raison qui poussait les chrétiennes à s'engager en de telles unions était impérative, nous l'avons vu plus haut : faute de trouver des partenaires chrétiens, les femmes et les jeunes filles chrétiennes désireuses de contracter mariage se voyaient dans l'obligation de prendre un époux non croyant[20]. Pour les veuves, qui s'engageaient dans un « mariage mixte », c'était, apparemment, enfreindre le précepte apostolique[21]. Mais les autres : jeunes filles épousant un païen en premières noces, ou chrétiennes divorcées d'un conjoint païen, conformément aux règles édictées par l'Apôtre (*I Cor.* 7, 12-16) ? Leur cas n'était pas envisagé expressément par l'Écriture. Fallait-il l'assimiler à celui de *I Cor.* 7, 39 ? Ou bien pouvait-on, par analogie, leur appliquer les dispositions arrêtées par l'Apôtre pour les unions préchrétiennes, dont l'un des conjoints s'était converti ? Pouvait-on,

---

19. J. KÖHNE, *Die Ehen zwischen Christen und Heiden*, p. 57-75 ; cf. J. GAUDEMET, *L'Église dans l'Empire romain*, p. 525-526 ; W. P. LE SAINT, *Tertullian, Treatises on marriage*, p. 113.

20. Bonne synthèse des (rares) indications dans ce sens chez A. HAMMAN, *La vie quotidienne des premiers chrétiens*, Paris 1971, p. 61-67 ; Cf. J. LEIPOLT, *Die Frau in der antiken Welt und im Urchristentum*, Leipzig² 1956.

21. Tout dépend, en effet, du sens exact de l'expression : *in Domino* de *I Cor.* 7, 39. Tertullien l'entend dans un sens strictement sociologique : une chrétienne ne peut épouser qu'un membre du nouveau peuple de Dieu, mais l'Apôtre se tient-il à ce niveau ? Voir les remarques de KLEIN sur le concept de *militia Christi* de Tertullien, opposé à la *militia Caesaris*, *o.c.*, p. 147-149.

sans trahir ni la lettre ni l'esprit de l'Écriture, considérer comme licites les mariages mixtes, dont on pouvait espérer que le conjoint païen consentirait à cohabiter pacifiquement ? Nombre de chrétiennes semblent l'avoir pensé, et les instances ecclésiastiques, consultées à ce sujet, n'ont pas cru devoir les détromper.

Tertullien n'était pas de cet avis. Pour lui, toutes ces pratiques sont inadmissibles : elles conduisent à l'alliance — contre nature— des serviteurs du Christ et des esclaves de Bélial[22]. Et puisque l'Écriture lui offre un point d'appui en *I Cor.* 7, 39, il va s'efforcer d'en étendre le principe à tous les « mariages mixtes ».

Dès l'exorde[23], il formule en ces termes la thèse qu'il se propose de prouver : s'il n'est pas très grave[24] de se remarier (puisque l'Apôtre ne fait que *conseiller* la continence aux veufs et aux célibataires, en *I Cor.* 7, 7), par contre, se remarier avec un païen constitue une faute indubitable et d'une extrême gravité (puisqu'elle va directement à l'encontre du *précepte* de l'Apôtre, nettement défini en *I Cor.* 7, 39). Tertullien se pose en interprète fidèle de la pensée de saint Paul ; l'est-il vraiment ?

La première partie de la démonstration écarte les objections préalables des adversaires. Sur quel texte de l'Écriture peuvent-ils bien fonder la pratique des mariages mixtes ? Aucun texte ne l'autorise explicitement. Et si l'on prétend se réclamer de *I Cor.* 7, 12-14, en appliquant aux mariages à conclure ce que l'Apôtre a dit des unions préchrétiennes, on trahit et la lettre et l'esprit de la loi. Mais suivons Tertullien dans son labeur exégétique.

---

22. *Vx.*, II, 3, 4 ; 4, 1 : *diaboli seruum* ; cf. 8, 2. On notera que Tertullien transpose au plan historique et sociologique, en opposant aux chrétiens juifs et païens le dualisme religieux qui apparaît, notamment dans les écrits johanniques, dans l'antithèse de Dieu et du Monde, adversaire collectif de Dieu. De là, il est facile de passer à l'antithèse Dieu-Satan, personnification du Monde ; peuple de Dieu-serviteurs et suppôts de Satan ; cf. A. P. ORBAN, *Les dénominations du Monde chez les premiers auteurs chrétiens*, Nimègue 1970 ; R. MINNERATH, *Les chrétiens et le monde*, Paris 1973, p. 93-129.

23. *Vx.*, II, 1, 3-4.

24. Point n'est besoin de souligner le paralogisme : Tertullien raisonne comme si l'inobservance d'un conseil constituait une faute morale, « dont certains s'imaginent qu'elle est minime, aisément pardonnable » : *ignoscibilis* (*Vx.*, II, 1, 3).

Puisqu'il s'agit d'établir la teneur de la loi (*disceptatio legis*), qui est la volonté de Dieu, et que deux textes sont en présence : *I Cor.* 7, 39 et *I Cor.* 7, 12-14, l'auteur va procéder à la confrontation des *leges contrariae*, selon les règles d'interprétation en usage pour le *genus legale*[25]. Se posant en accusateur, il va s'efforcer de démontrer qu'en l'espèce la volonté du législateur s'exprime en *I Cor.* 7 39, qui représente la *lex potentior*, tandis que ses adversaires, auxquels il assigne le rôle d'accusés, ne peuvent justifier leur point de vue qu'en alléguant *I Cor.* 7, 12-14 de manière trop extensive. La solution du *status legalis* consiste donc dans l'application stricte de *I Cor.* 7, 39[26].

Pour rétablir ce qui, à ses yeux, est le sens légal authentique de *I Cor.* 7, 12-14, Tertullien examine d'abord les *voces*, les termes mêmes des versets incriminés : *uerba ipsa*. Il observe que l'Apôtre, en *I Cor.* 7, 16, dit expressément : Si quelqu'un *a* une épouse païenne — et non pas : si Quelqu'un *vient* à épouser une femme païenne ; c'est donc qu'il avait en vue des unions préchrétiennes, dont un membre est passé au christianisme — et non pas les « mariages mixtes », encore à conclure[27]. Puis l'auteur examine la *ratio legis* : si l'Apôtre autorise la cohabitation d'un conjoint chrétien avec un païen, dans tel cas précis, c'est parce que le couple vit dans la paix, voulue par Dieu, et parce qu'il existe un espoir bien fondé de voir se convertir l'époux païen[28]. Tertullien allègue enfin le verset *I Cor.* 7, 17, qu'il considère comme la conclusion du passage concernant les unions mixtes — alors qu'il s'agit manifestement d'un nouveau développement — et il y voit la confirmation des deux arguments antérieurs. Puisque l'Apôtre recommande à chacun de *continuer* à vivre dans la condition que lui a assignée le Seigneur, c'est bien

---

25. H. LAUSBERG, *Handbuch der literarischen Rhetorik*, Munich 1960, p. 109 ; J. MARTIN, *Antike Rhetorik*, Munich 1974, p. 44.

26. *Vx.*, II, 2, 1-5.

27. LAUSBERG, *o.c.*, p. 110, n. 203 et p. 119-121. En cas d'antinomie (*status legum contrariarum*), il faut examiner chacune des lois alléguées selon sa teneur même et selon la volonté du législateur. Tertullien s'applique visiblement à interpréter le verset paulinien, *prout uerba sonant*, mais ne pêche-t-il pas par excès de littéralisme ?

28. LAUSBERG, *o.c.*, p. 116, n. 209.

qu'en *I Cor.* 7, 12-16 il avait en vue des couples déjà constitués (et non pas des mariages mixtes projetés)[29].

La réfutation des adversaires, effectuée sous son aspect négatif, va être achevée d'abord par l'allégation de la *lex potentior* (*I Cor.* 7, 39), dont le libellé explicite (*uox*) et la signification indubitable sont rappelés — puis par un raisonnement *ab absurdo*, qui doit, aux yeux de Tertullien, consommer la déroute de la partie adverse : la thèse des adversaires est indéfendable, car elle implique que, dans un même passage, l'Apôtre soutient deux positions absolument inconciliables.

Au terme de cette argumentation, Tertullien se croit autorisé à conclure : la loi chrétienne, exprimée par les Écritures divinement inspirées, interdit toute forme de « mariage mixte[30] ».

Puisque le droit divin possède le plus haut degré de force et d'évidence, Tertullien pourrait considérer sa tâche comme achevée : il a contraint ses adversaires à s'incliner devant la *lex divina*, écarté *I Cor.* 7, 12-16, établi que seul *I Cor.* 7, 39 s'applique en l'espèce. Mais l'auteur estime n'avoir mené à bonne fin que la première partie de sa démonstration, celle qui, dans un plaidoyer relevant du *genus legale*, définit la volonté du législateur (*status finitionis*)[31]. Pour rester fidèle à la loi du genre, il va développer successivement le *status qualitatis* : est-ce à juste titre qu'il est interdit aux chrétiens de contracter des mariages mixtes[32] ? puis le *status quantitatis* : la responsabilité délictuelle des contrevenants peut-elle bénéficier de circonstances atténuantes[33] ?

C'est à partir de l'Écriture que Tertullien entend d'abord justifier l'interdiction ; les preuves de raison viendront en épilogue, à titre de *confirmatur*. L'Apôtre n'ayant pas explicité les motifs de son précepte, Tertullien y pourvoira en son lieu et place, à partir de l'axiome : ce ne peut être que pour prévenir les atteintes à la foi. Et de construire sa démonstration sur le

---

29. *Vx.*, II, 2, 3.
30. *Vx.*, II, 2, 3-4.
31. LAUSBERG, *o.c.*, p. 94, n. 167 ; p. 71, n. 105.
32. LAUSBERG, *o.c.*, p. 96, n. 171 ; p. 97, n. 176.
33. LAUSBERG, *o.c.*, p. 106, n. 195 ; cf. QUINTILIEN, 7, 4, 15 : *uidendum an imminui culpa possit.*

binôme, très paulinien, assurément : la chair — l'esprit. Mais lorsque l'auteur déclare, pour illustrer le premier point, qu'au contact d'un païen, l'époux chrétien contracte nécessairement une souillure[34], on ne voit vraiment pas de quel verset de l'Apôtre il pourrait se réclamer. Il y a là une transposition aux « mariages mixtes » des catégories de « pur et impur », qui relève d'une vision légaliste et d'une mentalité de type rabbinique, maintes fois soulignées[35]. Mais les ressemblances ne s'arrêtent pas là.

Pour établir la qualification délictuelle des mariages mixtes, Tertullien a recours à des procédés de déduction fort en honneur dans les Talmud. Le fait n'a rien d'étonnant : il n'est pas nécessaire de supposer une influence directe des milieux ou des écrits juifs sur l'auteur de l'*Ad uxorem*, pour l'expliquer. En réalité, Tertullien applique au texte sacré certains modes de raisonnement mis au point par la logique hellénique et transposés en sol juif déjà par les maîtres alexandrins de Hillel l'Ancien[36].

L'un des plus familiers à Tertullien est la déduction analogique, fondée sur des ressemblances purement verbales[37]. Le résultat de cette opération est des plus singuliers ; qu'on en juge d'après ces quelques exemples empruntés à l'*Ad uxorem* II. Alléguant *I Cor.* 3, 16, Tertullien prétend établir qu'un mariage mixte est assimilable à une fornication, voire à un attentat à la pudeur,

---

34. *Vx.*, II, 2, 6.

35. PREISKER, *o.c.*, p. 76 ; E. PETERSON, *Frühkirche, Judentum und Gnosis*, p. 215 ; J. BUGGE, *Virginitas*, La Haye 1975, p. 12-21 ; J. Cl. FREDOUILLE, *o.c.*, p. 109 écarte l'hypothèse d'une influence juive, « tout au moins déterminante », sur l'*Ad uxorem*. Mais on se trouve ici à un autre niveau que celui des genres littéraires. On sait que Tertullien allègue le *Livre d'Hénoch*, dont il défend l'authenticité : *Cult.*, I, 3, 1-3. Cet apocryphe juif interprète *Gen.* 6, 2 comme décrivant la « chute » des anges ; il admet communément que le contact avec la chair contamine l'esprit ; cf. R. H. CHARLES, *The Apocrypha and Pseudopigrapha of the Old Testament* II, p. 182 ; 191-198. Voir aussi AZIZA, *o.c.*, p. 180-183.

36. D. DAUBE, « Rabbinic Methods of Interpretation and Hellenistic Rhetoric », dans *Hebrew Union College Annual* 22, 1949, p. 239-264 ; cf. W. BACHER, *Die exegetische Terminologie der jüdischen Traditions-literatur*, Darmstadt² 1965, I, p. 9-11 ; 75 ; 80 ; 142.

37. On en trouve l'équivalent dans la deuxième règle de Hillel, *Gsera Schawa* ; cf. Pes., 66a : A. SCHWARZ, *Die hermeneutische Analogie*, Karlsruhe 1897 ; cf. AZIZA, *o.c.*, p. 212-214.

qui implique des connotations de viol et de sacrilège[38] ; alléguant
I Cor. 6, 15, il affirme qu'il est assimilable à un adultère, puisque
l'on unit les membres du Christ à ceux d'une personne appartenant à une religion étrangère[39] ; alléguant *I Cor.* 6, 19-20,
il suggère que s'engager dans un pareil mariage c'est commettre
un délit assimilable à celui du *damnum iniuria factum* visé par
la *lex Aquilia*, puisque c'est porter atteinte à une *res* dont Dieu
en personne est le propriétaire, pour l'avoir acquise contre le
paiement d'une certaine somme. Le matérialisme de la vieille
loi, protectrice de la propriété quiritaire, sert à merveille le
dessein de l'auteur. En effet, aux termes de cette loi, le fait
dommageable donnant lieu à l'action devait résulter d'un acte
matériel et être *corpore corpori datum*[40].

La gravité du fait incriminé ne saurait être minimisée, estime
Tertullien. Un mariage mixte est passible de la sanction la plus
grave dont l'Église dispose, l'excommunication, puisqu'il est
assimilable à un *stuprum*[41], et que l'Apôtre a fulminé cette
sanction contre le *stuprum* commis à Corinthe (*I Cor.* 5, 1 et 11).
Aucune circonstance atténuante ne saurait être accordée aux
délinquants : la personne offensée, à savoir Dieu, directement
lésé en un corps qui lui appartient, possède une *dignitas* trop
éminente pour qu'une excuse soit recevable à une telle *iniuria*[42].
D'autre part, les contrevenants sont coupables de contumace[43],
dans la mesure où ils ont violé délibérément[44] un précepte divin

---

38. *Vx.*, II, 3, 1 : *stuprum : extranei hominis admissio minus templum
Dei uiolat ?*

39. *Ibid.*, *minus membra Christi cum membris adulterae commiscet ?*

40. R. MONIER, *Manuel élémentaire de Droit romain* I, Paris 1945, p. 356.

41. *Vx.*, II, 3, 1 : *stupri reos constat esse.* Le raisonnement de Tertullien
relève, cette fois encore, de la déduction analogique.

42. La qualité de la victime compte parmi les circonstances aggra-
vantes réelles du Droit pénal.

43. Tertullien emploie ici le terme de *contumacia* dans un sens large,
c'est-à-dire de la résistance, ou obstination coupable du contrevenant,
entachée de dol ; cf. G. MAY, *Éléments de droit romain*, Paris 1922, p. 682,
n. 298.

44. Le *Lévitique* connaît déjà la distinction entre les délits commis
« à main haute », délibérément (*Lév.* 15, 30), qui n'admettent pas de
rémission et les fautes commises par inadvertance (*Lév.* 15, 22), pour
lesquelles on accomplit des rites d'expiation.

(*I Cor.* 7, 39) et qu'ils ne peuvent invoquer l'excuse de la nécessité[45].

L'énumération des périls que les mariages mixtes font courir à l'esprit est annoncée par une citation libre de *I Cor.* 15, 33, déjà utilisée à la fin de l'*Ad uxorem* I. Puis Tertullien recourt à un raisonnement *a fortiori*, qui va lui permettre d'intégrer à sa démonstration toutes les activités de la vie chrétienne : s'il est vrai que « les mauvaises conversations corrompent les bonnes mœurs », combien plus le partage de toute la vie et l'intimité de tous les instants, requis par le mariage, doivent-ils opérer — à coup sûr — la ruine de la foi chrétienne, dans un mariage mixte[46].

Point n'est besoin d'observer que Tertullien fait ici une pétition de principe : pour lui, nécessairement, dans un mariage mixte, le conjoint païen ne peut avoir d'autre dessein que de travailler à la ruine matérielle et à la destruction de la foi de l'époux chrétien[47]. Mais Tertullien a-t-il le droit de faire une telle supposition ? Pourquoi un mariage mixte serait-il nécessairement voué à l'échec ? Ne peut-il être au moins aussi pacifique et heureux qu'un mariage de non-chrétiens, dont l'un des époux s'est converti au christianisme ?

Tertullien a voulu répondre à cette objection. Une fois de plus il renvoie ses adversaires à la lettre de l'Écriture, et il leur réplique : en admettant même (*dato sed non concesso*) que les dangers encourus soient aussi redoutables dans les unions préchrétiennes devenues mixtes que dans les mariages mixtes proprement dits, dans le premier cas la condition de l'époux chrétien est excusable, puisqu'elle est conforme à la volonté de Dieu, énoncée par l'Apôtre, tandis que la conclusion d'un mariage mixte, de toute évidence, enfreint le précepte divin et constitue, par conséquent, un délit qui n'admet pas d'excuse[48]. « Nous voylà au rouet », eût dit Montaigne[49].

---

45. La « nécessité » est l'un des moyens classiques pour excuser l'acte délictueux ; elle peut être contrainte physique ou morale ; cf. LANSBERG, *o.c.*, p. 104, n. 190 ; FREDOUILLE, *o.c.*, p. 106, n. 139.

46. *Vx.*, II, 3, 3.

47. *Vx.*, II, 4, 1 ; 5, 3.

48. *Vx.*, II, 7, 1-3.

49. *Essais* II, 12.

B. L'expression et le style

Les deux livres de l'*Ad uxorem* nous révèlent un auteur en pleine possession de ses talents. Et d'abord, la pensée apparaît ferme, mesurée, bien qu'elle témoigne parfois de propensions fâcheuses à l'outrance et au paradoxe. On sent gronder, déjà, une violence à peine contenue : les temps ne sont pas loin, décidément, qui verront le sévère moraliste rallier les rangs montanistes et accuser les « psychiques » de trahir la pureté du message évangélique.

La composition est particulièrement soignée : la structure en est claire, les divisions nettes, les parties savamment équilibrées. L'auteur a poussé la coquetterie jusqu'à organiser le deuxième livre sur le plan du premier. Mais plus que le désir de plaire, c'est le besoin de convaincre qui a décidé, chaque fois, des éléments de l'argumentation. Il est aisé de s'en assurer en repérant les grandes lignes qui dirigent celle du premier livre. Après le préambule (I, 1) et la réfutation des objections préalables (I, 2 - 3, 1) vient l'exposé de la thèse (I, 3, 2-6), étayée par les preuves de raison (I, 3, 5) et les preuves scripturaires (I, 3, 6). Suit la réfutation des objections avancées pour justifier le remariage (I, 4-5) : réponse de principe (I, 4, 1) ; réponses aux arguments pris isolément (I, 4, 2 - 5, 4) — et la réfutation des objections opposées aux propos de continence des veuves (I, 6-8, 3) : est-il possible (I, 6, 1-5) ; est-il avantageux (I, 7-8, 3) ? Confirmation par la négative : les inconvénients liés aux secondes noces (I, 7, 4-5) ; illustration positive : les mérites respectifs de la virginité et de la viduité (I, 8, 1-3).

Si Tertullien a repris ce plan d'ensemble pour traiter la question des mariages mixtes, il a su l'adapter à son nouveau sujet, notamment dans la deuxième partie de l'argumentation. Cette fois, c'est la preuve scripturaire qui doit être invoquée en priorité, pour justifier l'interdiction. Tertullien lui consacre donc la majeure partie de son exposé (II, 2, 6 - 7, 5) ; les preuves de raison ne viennent qu'en exergue (II, 8, 1-5). Tertullien ordonne sa démonstration scripturaire à partir du couple paulinien de la chair et de l'esprit. Il examine successivement les dangers que les mariages mixtes représentent pour le corps (II, 2, 6 - 3, 2) et pour l'âme (II, 3 - 7, 5). Dans la première partie de son discours, il applique rigoureusement les catégories de la *disceptatio legis*, en dégageant progressivement le *status* légal qui s'impose en l'espèce : nécessité de se soumettre à la prescription de *I Cor.* 7, 39 ; raison d'être de cette loi (*ratio legis*) ; nature et gravité du délit commis à son encontre (II, 2, 6 - 3, 2). La seconde partie offre une *confirmatio*, illustrant les dangers qui menacent la foi (II, 3, 3 - 4, 2) et une réfutation détaillée des objections de la partie adverse (II, 5 - 7, 5). L'auteur reste fidèle à la structure binaire jusque dans les sections mineures de son développement : aux réponses de principe (II, 5, 1) correspond, en guise d'illustration, la description des avatars d'une chrétienne mariée à un païen, soi-disant tolérant. Cette description fait ressortir d'abord les obstacles apportés aux activités chrétiennes (II, 5, 2-3), puis les inconvénients constitués par les activités païennes (II, 6). L'examen de l'objection faite par rétorsion suit un schéma analogue : la situation des unions préchrétiennes est excusable : preuves scripturaires, preuves de raison (II, 7, 1 - 2) ; les mariages mixtes n'ont pas d'excuse (II, 7, 3).

D'aucuns trouveront, peut-être, que cette façade imposante comporte plusieurs fausses fenêtres et que le souci de la symétrie a conduit l'auteur à multiplier abusivement les corps de logis ; il n'en reste pas moins que, sous le foisonnement baroque et l'ornementation luxuriante, le gros-œuvre se dresse, solide, fait des matériaux les plus nobles. Il en va de même des édifices contemporains de Sabratha ou de Leptis Magna, dont l'architecture puissante s'allie à la décoration prodigue de l'époque sévérienne.

L'argumentation est servie par une dialectique vigoureuse, implacable par moments, qui ne laisse à l'adversaire aucune échappatoire. Tertullien sait varier à l'infini les types de ses raisonnements : s'il manifeste une préférence pour les arguments *a simili*[1] et *a comparatione*[2], qui lui permettent de développer

---

1. Raisonnements analogiques : I, 3, 4 ; 3, 6 ; 6, 3 ; 7, 1 ; 7, 5 ; II, 1, 3 ; 3, 2 ; 5, 2 ; 8, 3.
2. Raisonnements *a minore* ou *a maiore* : I, 1, 2 ; 3, 3 ; 3, 4 ; 6, 1 ;

à loisir antithèses[3] et *exempla*[4], il sait, à l'occasion, s'élever aux sommets arides de la pensée la plus abstraite[5]. Toutefois ces passages, qui respirent une application quelque peu forcée, demeurent exceptionnels. Tertullien ne tarde pas à suivre son penchant naturel, réaliste et passionné : il veut convaincre plus qu'il ne cherche à prouver, mais surtout il croit qu'il imposera son point de vue, s'il parvient à frapper l'imagination de ses lecteurs et à toucher leur sensibilité.

Émotif à l'extrême, doté d'un tempérament exalté, Tertullien possède une imagination extraordinaire, d'abord visuelle, mais non moins portée à l'invention verbale, aux jeux sonores des mots, sensible à la mélodie des phrases et à tous les prestiges de l'expressivité. Ses commentateurs se sont plu à souligner la richesse de son vocabulaire, la force étonnante de ses alliances de mots, la plénitude de ses *sententiae*. Les deux livres de l'*Ad uxorem* illustrent avec discrétion ces aspects de son écriture. Deux traits, notamment, frappent l'attention : d'une part, l'abondance des emprunts que l'auteur y fait à la langue du droit, des métiers, de l'armée[6] ; d'autre part, l'influence profonde

---

6, 2 ; 7, 5 ; 8, 2 ; II, 1, 2-3 ; 3, 3 ; 7, 3 ; 8, 2.

3. Parmi les antithèses les plus élaborées, relevons : I, 4, 1 ; 4, 7 ; 4, 8 ; 7, 1 ; II, 4, 1 ; 6, 1 ; 7, 3 ; 8, 2 ; 8, 4.

4. Sur la place et le rôle des *exempla* dans l'œuvre de Tertullien, cf. H. PÉTRÉ, *L'exemplum chez Tertullien*, Dijon 1940 ; FREDOUILLE, *o.c.*, p. 107, n. 144, observe que ces exemples sont ici tout à fait à leur place, s'agissant du genre délibératif. Ils ont également une valeur exhortative, surtout les exemples païens. Voir I, 3, 4 ; 4, 3 ; 6, 1-4 ; 7, 5 ; II, 7, 3 ; 8, 3 ; 8, 4.

5. Notamment en *Vx.*, I, 3, 5 ; II, 1, 3 ; 2, 2 ; 2, 8. Signalons aussi l'emploi de dilemmes : I, 3, 4 ; II, 5, 1 ; et de raisonnements *ab absurdo* : II, 2, 3-4.

6. Sans vouloir relever tous les termes empruntés à la langue technique du droit, notons les passages les plus riches à cet égard I, 1 : *tabulae* (nuptiales) ; *legatum* ; *praelegare* ; *hereditas* ; *solidum capere* ; *admonitio* ; *demonstratio* ; *fideicommisum* ; *fidei mandare* ; II, 1, 3-4 : *uenia* ; *ignoscibilis* ; *suadere* ; *iubere* ; *iussum* ; *consilium* ; *obligari* ; *contumacia* ; *potestas* ; *necessitas* ; cf. II, 2, 3-5 ; 2, 8 ; 3, 2 ; 8, 1. — Pour les métiers, il est intéressant de constater des emprunts au monde du commerce : I, 5, 4 : *mercimonia agere, emere* ; 7, 2 : *solutionem quaerere* (cit.) ; II, 7, 1 2 : *lucratio, lucrifieri* (cit.). Le monde agricole est représenté par : *seminq-*

exercée par le vocabulaire des premiers traducteurs de la Bible. Tertullien y puise avec prédilection images et comparaisons[7] ; il s'inspire des Livres Saints, pour créer les métaphores les plus audacieuses, aux confins du monde matériel et du monde spirituel[8]. Même la puissance visionnaire des prophètes ne lui fait pas défaut, quand il évoque les scènes du Jugement dernier[9].

C'est pourtant dans la description des scènes familières, dans le pittoresque de la vie quotidienne, qu'il se montre inégalable. Les croquis prestement enlevés, les caricatures amusées ou féroces surgissent à l'improviste[10]. Les dames de qualité de la Carthage chrétienne sont rudoyées allègrement, leurs conseillers spirituels ne méritent aucune indulgence[11]. Il faudrait commenter ici

---

rium I, 2, 1 ; *emendatio* ; *excidere* (*ramos*) *redundantes* ; *componere* (*arbores*) *inconditas* ; cf. 4, 7 ; 5, 1 *serere* ; 7, 1. — Il y a des termes de chasse : I, 3, 6 (cit.) ; II, 7, 2 : *speculari, instare* ; des images venues du monde des jeux : I, 3, 6 ; II, 8, 3. — Les vocables militaires sont relativement peu nombreux, mais ne manquent pas d'expressivité : I, 5, 2-3 : *impedimenta* ; *sarcina* ; *expeditio* ; II, 2, 5 : *districta et expedita sententia*.

7. Cette influence est plus sensible en I, 2, 1 ; 4, 7 ; 5, 2 3 ; 6, 2 ; II, 3, 1 ; 5, 1 ; 7, 2.

8. Qu'il soit permis de relever, après maints commentateurs, les images les plus expressives : le mariage, pépinière du genre humain I, 2, 1 ; le progrès moral et légal, comparé au travail du paysan qui émonde ses arbres I, 2, 3 ; le jugement dernier, comparé à un rassemblement militaire précipité I, 5, 2 3 — il est loisible de penser que Tertullien pousse sa métaphore aux limites extrêmes du supportable ; cf. I, 6, 2. Le deuxième livre n'est pas moins riche, à cet égard : II, 3, 1 témoigne d'une recherche évidente ; on y trouve cette expression, d'une rare audace : du sang de Dieu, prix de notre rachat ; 7, 2 présente la grâce de Dieu qui entretient une *consuetudo* (relations intimes et suivies) avec l'époux païen d'une chrétienne récemment convertie. Ce conjoint est *Dei candidatus* : candidat de Dieu — mais ne pourrait-on traduire aussi : il a été revêtu de la robe blanche de la crainte de Dieu ?

9. *Vx.*, I, 4 5 ; 5, 2 ; 8, 1 2 ; II, 3, 1.

10. *Croquis* I, 8, 3 : les femmes de Carthage, bavardes, musardes, cancanières, biberonnes ; on notera, cependant, que Tertullien s'inspire directement de l'Écriture. Cf. II, 4, 1 : les occupations domestiques des dames de qualité ; 5, 2 : les rites quotidiens des chrétiennes, *etc.* — *Caricatures* : I, 4, 6, le mode de régenter leur maisonnée habituel aux « matrones » ; II, 4, 4, les soucis vestimentaires des païennes ; 6, 1 2, les obligations mondaines ; 8, 3, les problèmes de représentation et de mode. La férocité du trait final ne saurait laisser indifférent.

11. *Vx.*, II, 2, 1.

les passages où Tertullien ajoute à la force corrosive du trait la violence de ses invectives[12] ou la cruauté de son ironie[13]. Avouons toutefois qu'on se lasserait assez vite de ce style tendu, haché, haletant, qui ne semble connaître d'autre stratégie que l'attaque à outrance. La rudesse et l'impétuosité ne suffisent pas, du reste, à emporter la conviction, car si Tertullien est un logicien habile, il est médiocre casuiste. On mettra au compte de son ardeur intransigeante, de son zèle de converti, de son tempérament africain, la démarche saccadée, voire convulsive de son discours, le recours à jet continu aux procédés les plus rebattus de la rhétorique. L'auteur sacrifie aussi aux préjugés de la mode ; l'époque des Antonins a imposé une certaine écriture « artiste » et Tertullien se plaît à rivaliser avec son compatriote Apulée, pour la virtuosité, l'érudition, la technique.

A dire vrai, l'érudition est ici de bon aloi ; elle sert directement le propos de l'écrivain et ne cherche pas à faire étalage de science[14]. La technique est remarquable ; elle utilise avec brio les figures les plus expressives du discours et du style[15]. Mais le grand art ne consiste-t-il pas à se faire oublier ? Tertullien y

---

12. *Recours à l'invective* : II, 2, 1-2 ; 3, 4 ; 6, 2 ; 8, 3 ; I, 5, 3.

13. *Maniement de l'ironie* : I, 4, 7 ; 5, 1 2 ; II, 2, 2 ; 2, 6 ; 3, 1 ; 4, 1 ; 5, 4 ; 6, 1 ; 7, 3 ; 8, 2 3 ; 8, 5. Cf. R. F. BOUGHNER, *Satire in Tertullian*, Diss. *Johns Hopkins University*, Baltimore 1975.

14. Elle n'apparaît guère qu'en *Vx.*, I, 6, 3 5.

15. Le commentaire signale les passages les plus remarquables de ce point de vue. Nous pouvons nous limiter ici à relever les figures les plus marquées :
Allitérations : I, 1, 1 ; 4, 1 ; 8, 4 ; II, 8, 6-7...
Anaphores : I, 1, 6 ; 2, 1 ; 2, 4 ; 4, 4 ; 5, 2 ; 5, 3 ; 6, 2 ; 7, 1 ; 8, 2...
Antonomases : I, 7, 5 ; *apostolus* = Paul.
Apostrophes : I, 3, 1 ; 3, 3 ; 4, 1 ; 4, 3 ; 5, 4 ; 5, 5 ; 7, 1 ; 7, 3 ; II, 3, 1 ; 3, 3..
Asyndètes : I, 1, 1 ; II, 8, 6 8...
Hyperboles : I, 6, 3 ; II, 3, 1 ; 7, 2.
Métaphores : I, 4, 4 ; 4, 6 ; 4, 7 ; 6, 5 ; 7, 3 ; 8, 1 ; 8, 3 ; II, 3, 2 ; 5, 2 ; 6, 2 ; 8, 3...
Métonymies : I, 4, 3 ; 4, 7 ; 5, 1 ; 5, 3 ; 8, 2 ; 8, 3 ; II, 3, 4 ; 6, 1 ; 7, 1.
Parallèle : I, 8, 2-3.
Parataxe : I, 5, 1 ; 8, 4 ; II, 2, 5 ; 3, 1 ; 5, 2.
Parenthèses : I, 3, 5 ; II, 2, 2.
Prétéritions : I, 3, 4 ; 5, 5.
Sentences : I, 3, 2 ; 3, 4 ; 3, 6 ; 4, 8 ; 6, 2 ; 8, 2 ; 8, 4 ; II, 1, 3 ; 1, 4 ; 2, 9 ; 3, 2 ; 3, 3 ; 7, 3 ; 8, 5 ; 8, 6...

parvient, plus d'une fois, dans l'*Ad uxorem*, notamment dans l'admirable description du mariage chrétien, qui achève le deuxième livre. Mais combien d'autres passages aussi permettent d'apprécier les multiples facettes de son génie. Comment ne pas être séduit par la sobre élégance de certaines descriptions[16] ? Comment ne point admirer les étonnantes formules, dont l'auteur parsème une démonstration ou achève un débat[17] ? Comment ne pas se laisser gagner par la chaleur sincère de certains développements[18] ? Tertullien n'est pas un auteur facile : brillant et obscur, concis et embrouillé, prolixe et diffus, puis d'une densité impénétrable, il possède une aptitude étonnante à changer sans cesse de ton et de registre. S'il est capable de faire les délices des plus raffinés, il n'en rebute pas moins par d'autres aspects : pour quelques images étincelantes, combien de cliquetis verbal ; pour quelques argumentations vives et fortes, combien d'arguties et de paralogismes ; mais surtout que de talent dépensé pour des causes manifestement intenables.

On aimerait surprendre le secret de cette personnalité prestigieuse mais si déconcertante. L'*Ad uxorem*, par les sujets qu'il aborde, les destinataires auxquels il s'adresse, la passion secrète qui l'anime, semble offrir un lieu privilégié pour de telles investigations. Paul Monceaux avait observé déjà qu'en recommandant à sa femme de ne point se remarier, Tertullien proteste qu'il n'éprouve aucune jalousie anticipée, « mais il proteste de telle sorte et avec tant d'insistance, qu'il trahit justement son involontaire préoccupation[19] ». A quelles profondeurs s'enracine son ardeur intransigeante à défendre le mariage monogame et sa pureté ? Par quels détours en est-il venu à identifier toujours plus la sainteté chrétienne et la virginité ? Multiforme, insaisissable, Tertullien étonnera ou indignera toujours ceux qui ne veulent retenir qu'un seul aspect de son visage. Mais la lecture savoureuse de ses écrits nous permet de retrouver tout l'homme, en sa mouvante diversité.

---

16. I, 4, 7 ; 6, 4 ; 8, 4 ; II, 3, 4 ; 4, 2-3 ; 5, 3 ; 6, 1 ; 7, 2 ; 8, 3.

17. I, 4, 4 ; 7, 2 ; II, 2, 5 ; 3, 1 ; 7, 3 ; voir aussi les différents types de sentences d'ordre moral ou social, signalées n. 15. Pour leur classification, on pourra se reporter à LAUSBERG, *o.c.*, II, p. 804-808.

18. I, 4, 1-2 ; 8, 3-4 ; II, 6, 1-2 ; 8, 7-9, entre autres.

19. MONCEAUX, *Histoire littéraire de l'Afrique chrétienne*, I, p. 191.

V

MANUSCRITS ET ÉDITIONS

L'*Ad uxorem* nous est parvenu par deux collections de manuscrits, inégalement représentées :

1. Le *Corpus Agobardinum*, dont la composition remonte au ve siècle ; il ne subsiste plus aujourd'hui qu'un seul témoin de cette famille :

A (*Agobardinus*) = Paris, Bibliothèque nationale lat. 1622 (ixe siècle), ainsi appelé au nom de l'évêque de Lyon, Agobard (816-840), qui en fit exécuter la copie. Ce manuscrit est passablement mutilé : il ne conserve plus que treize traités, plus ou moins complets, sur vingt et un qu'il comportait à l'origine. L'*Ad uxorem* y figure intégralement, entre le *De cultu feminarum* et le *De exhortatione castitatis*, aux folios 179v-188v.

2. La deuxième famille de manuscrits représente une collection (θ), dont le noyau a pu être constitué en Espagne dès la fin du vie siècle. Transcrite à Cluny, au xie siècle, dans un recueil en deux tomes, regroupant vingt-huit « livres », elle est habituellement désignée sous le nom de *Corpus Cluniacense*, mais il est difficile d'en cerner les contours et d'en retracer les étapes[1].

---

1. Pour la classification des manuscrits, on corrigera les conclusions d'E. Kroymann, *CSEL*, lxx, Vienne 1942, p. vi-xxxv, par les travaux de E. Dekkers, « Note sur les fragments récemment découverts de Tertullien », *Sacris erudiri* 4, 1952, p. 372-383 ; cf. du même, la Préface à l'édition de Tertullien publiée dans le *Corpus christianorum*, series latina I, 1954, p. vi-ix. On tiendra compte aussi des remarques faites par H. Tränkle dans son édition de l'*Adversus Iudaeos*, Wiesbaden 1964, p. xciv, au sujet du prétendu *Corpus Cluniacense*.

Deux groupes de témoins, désignés par les sigles α et β, se partagent cette lignée :

a) les plus anciens, le *Paterniacensis* (originaire de Payerne, en Suisse ; actuellement conservé à la Bibliothèque humanistique de Sélestat, Ms 88) et le *Montepessulanus* (Montpellier, H 54), tous deux du XIe siècle, ne contiennent plus l'*Ad uxorem*. Mais un manuscrit du XVe siècle permet, semble-t-il, de suppléer à cette perte :

N (*Florentinus Magliabechianus*) = Florence, Bibliothèque nationale, Conventi soppressi, I, VI, 9, fol. 162v-165v.

On dispose, en outre, des leçons tirées par Beatus Rhenanus d'un manuscrit de Gorze (le *Gorziensis* : G), aujourd'hui perdu, signalées dans sa troisième édition des œuvres de Tertullien (1539).

b) le deuxième groupe dépend d'un manuscrit, lui aussi perdu, utilisé par Beatus Rhenanus pour l'édition princeps de 1521, l'*Hirsaugiensis*, originaire du monastère bénédictin de Hirsau, en Forêt Noire. Il est représenté par :

F (*Florentinus Magliabechianus*) = Florence, Bibliothèque nationale, Conventi soppressi I, VI, 10 (XVe siècle), fol. 78-81v. Ce manuscrit a été copié à Pforzheim, en 1426, par deux franciscains du nom de J. v. Lauterbach et T. v. Lymphen.

X (*Luxemburgensis*) = Luxembourg, Bibliothèque nationale 75 (fin du XVe siècle), fol. 79v-86. Ce manuscrit a appartenu à P. Roberti, abbé de Munster à Luxembourg.

De nombreux manuscrits italiens, conservés surtout à Florence et à la Bibliothèque Vaticane, se rattachent directement à F[2]. Ils peuvent être négligés, sans inconvénient, pour la reconstitution du texte de l'*Hirsaugiensis*. En effet, si en 1936 J. W. Borleffs[3] avait souligné les qualités de X, qu'il croyait directe-

---

2. E. KROYMANN, « Die Tertullian-Ueberlieferung in Italien », dans *Sitzungsberichte der Philosophisch. Historischen Classe der kais. Akad. der Wiss. zu Wien*, Band 138, Heft 3, 1898, p. 1-32.

3. J. W. BORLEFFS, *Zur luxemburger Tertullian-handschrift*, dans *Mnemosyne*, 3, 2, 1935, p. 299-308.

ment transcrit de ce manuscrit, C. Moreschini[4] a prouvé depuis
— dans une étude qui ne concerne, il est vrai, que la tradition
manuscrite de l'*Adversus Marcionem* — que F et X ne procédaient
pas directement du *codex Hirsaugiensis*, mais d'une copie de
celui-ci, également perdue, appelée *Pforzhinensis*, d'après le
lieu où F fut transcrit. Les observations que l'on peut faire à
propos de l'*Ad uxorem* ne sont pas de nature à infirmer les
conclusions de Moreschini[5].

Il convient donc de corriger sur ce point le *stemma codicum*
jadis établi par Kroymann et d'apprécier la valeur respective
des témoins du *Corpus Cluniacense* en fonction du nouveau
stemma.

Principes de cette édition

Le texte de la présente édition a été établi après une nouvelle
collation des manuscrits de base *A*, *N*, *F*, *X*, ainsi que des trois
éditions de Beatus Rhenanus. Les manuscrits sont de valeur
différente, mais il n'est pas possible d'en privilégier un quelcon-
que, de manière systématique, au détriment des autres.

Utilisé la première fois par Nicolas Rigault (Rigaltius) en 1628,
l'*Agobardinus* est, de l'avis général, un témoin de toute première
valeur. Dans cette même collection, J. P. Mahé et M. Turcan
ont donné maints exemples significatifs de l'excellence des

---

4. C. MORESCHINI, « Prolegomena ad una futura edizione dell' Adversu
Marcionem », dans *Annali dulla Scuola Normale Superiore di Pisa* 35,
1966, p. 296-308 ; 36, 1967, p. 93-102 et 235-244.

5. Pour vérifier l'hypothèse de Moreschini sur l'*Ad uxorem*, il faudrait
pouvoir citer plusieurs passages où *N* et *FX* auraient chacun commis
une faute différente, tandis que B. Rhenanus donnerait la bonne leçon
confirmée par *A*. La situation est la même que dans le *De carne Christi* ;
cf. J. P. MAHÉ, *Introduction* I, Paris 1975, p. 173. — On ne peut guère
citer que les leçons suivantes : I, 4, 1 : infirma *AR* : infirmata *NX*
infir-mata est *F* ; I, 5, 2 : incommodum *AR* : incomodum *X* in eo modum *F*
incommoda *N* ; I, 5, 3 : alicui *AR* : alicubi *NF* alcubi *X*. Encore faut-il
reconnaître que, dans ces cas, l'éditeur a pu restituer de lui-même la
bonne leçon.

Stemma Codicum

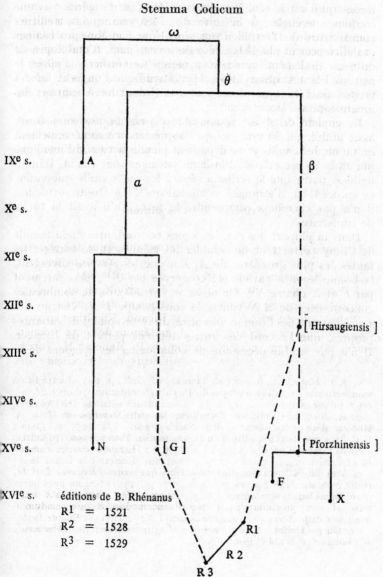

IXe s.	
Xe s.	
XIe s.	
XIIe s.	
XIIIe s.	
XIVe s.	
XVe s.	
XVIe s.	éditions de B. Rhénanus
	R¹ = 1521
	R² = 1528
	R³ = 1529

leçons qu'il est le seul à conserver[6]. Mais *A* ne mérite pas une
confiance aveugle ; à la suite d'E. Kroymann, les meilleurs
connaisseurs de Tertullien ont signalé ses nombreuses lacunes
et déficiences et plaidé la cause des *recentiores*[7]. L'établissement
du texte de l'*Ad uxorem* nous a permis de vérifier sur pièces la
justesse de ces observations. Qu'il suffise de signaler ici les
traits caractéristiques de ce manuscrit, dont le témoignage demeure capital.

Le copiste de *A* est responsable de nombreuses omissions[8],
assez limitées, il est vrai, puisqu'elles ne concernent généralement
qu'un ou deux mots et ne dépassent jamais la valeur d'une ligne
(de 25 à 30 caractères). Plusieurs passages sont rendus ininstel-
ligibles, parce que le scribe a séparé les mots vaille que vaille,
ou procédé à d'étranges combinaisons[9]. De toute évidence,
il n'a pas cherché à comprendre le texte qu'il avait la tâche
de transcrire.

Dans la plupart des cas, les leçons concordantes de la famille
de Cluny permettent de combler les lacunes et de corriger les
fautes les plus grossières de *A*. Lorsque les témoins divergent,
la bonne leçon a parfois été conservée par *N*[10], plus rarement
par *F* et *X* contre *N*[11]. On observe, par ailleurs, de nombreuses
concordances de *A N* contre le sous-groupe *F X*. Chacun des
représentants des *Cluniacenses* offre, du reste, son lot de variantes
propres, que l'accord des autres témoins permet de corriger.
Il n'a pas semblé nécessaire de collationner les épigones de la

---

6. J. P. MAHÉ, *o.c.*, p. 177 ; M. TURCAN, éd. *Cult.*, p. 16 ; « La tradition
manuscrite de Tertullien à propos du De cultu feminarum », dans *REL*, 44,
1967, p. 364-365.

7. R. BRAUN, « Note sur Tertullien, De cultu feminarum II, 6, 4.
Histoire d'un texte obscur », dans *Sacris erudiri*, VII, 1955, p. 35-48 ;
E. CASTORINA, dans son édition du *De spectaculis*, Florence 1961, p. XVIII s.

8. Notamment en I, 1, 5 ; 3, 5 ; 4, 2 ; 8, 4 ; II, 2, 9 ; 3, 1 ; 7, 2 ; 8, 1 :
8, 3 ; 8, 8.

9. Voir M. KLUSSMANN, *Curarum Tertullianearum particulae I et II*,
Halis Saxorum, 1881, p. 16-20.

10. Signalons, entre autres : I, 5, 1 : serere ; 6, 1 parentant ; 6, 4 ;
toro ; II, 1, 2 : procliuium ; 2, 1 : recordarer ; 4, 3 habere ; 6, 2 : adterendae ; 8, 1 dispectores ; 8, 3 cinerariis...

11. On peut citer : I, 4, 3 : uel ut ; II, 3, 1 : sciam ; 5, 3 obiectione ;
8, 2 iunctae ; 8, 8 ubi et ipse.

lignée, tels le *Vindobonensis 4194*, actuellement à Naples, Bibliothèque nationale, sous le numéro 55, ou le *Leidensis latinus 2*,
moins encore les *Vaticani 189-193*[12]. Par contre, les éditions
de Beatus Rhenanus ont été soigneusement revues : la première
(1521) constitue un témoignage important pour l'*Hirsaugiensis* ;
la seconde (1528) apporte de nombreuses conjectures intéressantes, dont plusieurs figurent déjà dans les marges de la première : la troisième (1539) corrige plusieurs passages grâce au
manuscrit de Gorze.

Comme tous les traités du rhéteur africain, l'*Ad uxorem* offre
un certain nombre de *loci incerti*, dont les philologues, depuis
quatre siècles, s'ingénient à percer le mystère. A l'encontre
d'E. Kroymann, qui a multiplié à plaisir les conjectures audacieuses et procédé à de nombreuses additions, suppressions et
transpositions, des plus arbitraires, nous pensons que la méthode
la plus simple d'apporter quelque lumière aux *loci incerti* est
de s'en tenir au texte, tel que l'ont transmis les manuscrits[13].
Souvent la difficulté réside dans le tour abrupt de la pensée
de l'auteur, qui passe sans transition à l'invective ou à l'ironie :
dans ce cas, une ponctuation différente suffit ordinairement à
dégager les nuances du texte[14]. Bien entendu, nous avons tiré
le meilleur parti des conjectures proposées par nos prédécesseurs,
notamment de celles qui éclairent le texte par comparaison
avec les autres écrits de Tertullien. Le *De exhortatione castitatis*,
le *De monogamia* et les deux livres du *De cultu feminarum* offrent,
à cet égard, bien des passages utiles à confronter.

Personnellement, nous ne proposons que quatre conjectures
nouvelles, dont nous soumettons le bien-fondé à l'appréciation
du lecteur. En *Vx.*, I, 3, 4 — l'un des passages les plus corrom-
pus — il semble que l'on puisse parvenir à un sens très accep-
table moyennant deux corrections, somme toute, assez mo-
destes d'une part en lisant : *at quanto beatiores*, au lieu de *at
quae isto beatior res* (Kroymann), puis *si probor, bonum est*, au

---

12. E. KROYMANN, *Die Tertullian Ueberlieferung in Italien*, p. 32.
13. Nous revenons tout simplement au texte des manuscrits en I, 1,
4-5 ; 2, 3 ; 3, 4 ; 5, 4 ; 6, 5 ; 7, 5 ; 8, 3 ; II, 2, 2 ; 2, 4 ; 2, 9 ; 4, 3 ; 5, 3 ; 8, 6.
14. C'est le cas, semble-t-il, en I, 3, 4 ; 5, 4 ; II, 3, 1 ; 6, 2,

lieu de l'énigmatique : *si ploro bonum est* (ou : *esse* — Kroymann). En *Vx.*, II, 1, 4, on lira : *numquam iussum*, au lieu de
quam iussum.   Enfin, en *Vx.*, II, 2, 4, il serait séduisant de lire:
apostolus cecidit, au lieu de *apostolus* ou *spiritus cecinit*[15].

Nous avons apporté tous nos soins à offrir une traduction
strictement littérale, aussi fidèle que possible aux moindres
nuances d'un auteur dont il est banal de dire qu'il est le plus
difficile des prosateurs latins[16]. Nous ne prétendons pas restituer
le cliquetis verbal d'une écriture « artiste », surchargée de rimes
et d'assonances, et soumise à des effets de rythme extrèmement
recherchés. Il n'est guère possible non plus de rendre certains
jeux de mots ou de faire pressentir la subtilité de certaines
allusions. Souvent il a fallu expliciter la pensée, ramassée à
l'extrême. C'est dans ce but que nous avons voulu offrir au
lecteur une analyse détaillée des deux livres de l'*Ad uxorem*.
Celle-ci permet de suivre pas à pas l'argumentation de Tertullien — et d'alléger d'autant le commentaire proprement dit.

Celui-ci a été délibérément réduit à l'essentiel. Nous n'avons
pas cru nécessaire de reproduire les remarques d'ordre lexicogra-
phique ou grammatical, qui font la richesse du commentaire
d'A. Stephan. Qu'il nous soit permis aussi de renvoyer, une
fois pour toutes, aux ouvrages spécialisés de Hoppe, Löfstedt,
Thörnell, Waltzing, Bulhart, Waszink ou de Ch. Mohrmann,
pour les particularités de la langue de Tertullien[17]. Notre unique
désir a été de rendre plus facilement accessible l'intelligence
du texte, soit en expliquant les allusions de l'auteur aux institutions de son temps, soit en relevant les citations ou les rémi-
niscences bibliques qui commandent ses développements.

---

15. D'autre part, la leçon : laribus, de *Vx.*, II, 6, 1 nous semble confirmée
par *Mart.*, 2, 7 : non uides alienos deos.

16. Parmi les traductions existantes, celles de H. Kellner (1912), de
W. P. Le Saint (1951) et de F. Quéré-Jaulmes (1961) nous ont apporté
mainte suggestion. Nous reconnaissons bien volontiers notre dette envers
nos prédécesseurs. « Je ne compte pas mes emprunts, écrit Montaigne,
je les pèse » (*Essais* II, 10).

17. Voir la Bibliographie, p.197-198.

VI

ANALYSE

AD UXOREM I

EXORDE
(I, 1-6)

En guise de testament spirituel, Tertullien adresse à sa femme ses recommandations pour le cas où il viendrait à la précéder dans la tombe (§ 1) ; il ne veut pas se borner à veiller à ses intérêts matériels, mais il souhaiterait qu'elle accède pleinement à l'héritage des biens spirituels et prie le Seigneur de bien vouloir les lui accorder (§ 2-3).

Propositio : Qu'elle renonce à se remarier, si elle devient veuve ; il y va de son intérêt le plus élevé (§ 4).

Praemunitio : Si Tertullien lui donne ce conseil, ce n'est pas qu'il obéisse à des sentiments de crainte jalouse, par peur de voir sa femme lui échapper après sa mort. Dans l'au-delà il n'est plus question de plaisirs ni de jalousie charnels ; allusion à *Matth.* 22, 23-30 (§ 5-6 « ... pollicetur »).

Transition : Mais il s'agit seulement d'examiner si ses recommandations sont intéressantes, pour sa femme et, de manière générale, pour toutes les chrétiennes (§ 6 « Sed... retractare »).

ARGUMENTATION
(II-VIII, 3)

An rursus sit nubendum ? (II-III)

Réponse de Tertullien : Non.

I. Réfutation des objections préalables (II-III, 2)

Puisque Tertullien doit, en principe, démontrer qu'un remariage serait licite, mais qu'un veuvage chaste serait préférable, il lui faut écarter d'abord les objections préalables :

A. *Celles de possibles adversaires* :

1. L'objection qui mettrait en question le mariage comme tel et, par contre-coup, le remariage :

Réponse : il ne saurait être question de condamner le mariage lui-même. En effet, il a été institué par Dieu, pour la propagation du genre humain (allusion à *Gen.* 1, 28), mais Dieu, dès l'origine, a établi la monogamie : allusion à *Gen.* 2, 24 et *Matth.* 19, 5-6 (§ 1).

2. L'objection qui, se fondant sur la polygamie des patriarches, contesterait la loi de la monogamie :

Réponse : la polygamie des patriarches ne contredit pas la règle de la monogamie, établie par Dieu (§ 2-3) : en effet, il serait possible de donner, à ce sujet, une interprétation allégorique, relative à la Synagogue et à l'Église, mais l'explication la plus simple de ce fait est fournie par l'évolution de la loi morale. Le Christ dans l'Évangile, puis l'apôtre Paul, en prévision de la fin des temps, ont corrigé et ordonné les coutumes antérieures, lors même qu'elles étaient inscrites dans la loi mosaïque (§ 3-4).

B. *L'exception préjudicielle* (*praescriptio*) que Tertullien pourrait soulever lui-même et qui consisterait à lire dans l'Évangile un précepte de continence s'imposant à tous les chrétiens.

Réponse : le Christ n'a pas imposé l'abstinence sexuelle ni aboli l'institution du mariage. Pareille affirmation est le fait des hérétiques, qui apportent un démenti au Dieu Créateur : allusion à *Gen.* 2, 24. (III, 1).

Conclusion partielle et transition : si l'Écriture, nulle part, n'interdit le mariage, c'est que, véritablement, il est un bien. Mais, comme l'enseigne saint Paul, la continence est un bien supérieur (III, 2).

II. **Exposé de la thèse :** le mariage monogame est licite **;**
                            la continence est préférable (III, 2-6)

A. *Propositio* : certes, le mariage apparaît comme un bien et il peut sembler légitime de s'y engager, puisque l'Apôtre le conseille à cause des tentations charnelles : allusion à *I Cor.* 7, 2 et 9. (III, 2).

— Mais, à y regarder de près, il est évident que le mariage ne mérite pas vraiment d'être appelé un bien, puisqu'on ne peut lui appliquer cette qualification que par rapport au mal qu'il permet d'éviter, à savoir les tribulations de la concupiscence (III, 3).

— Combien il serait préférable d'échapper à celles-ci, tout comme aux inconvénients du mariage (III, 4 « ... uri).

B. *Comparatio* : il en va de même dans les persécutions :

— Mieux vaut prendre la fuite — et c'est permis (*Matth.* 10, 23) — que de renier sa foi.

— Mais combien il serait préférable de ne point fuir et de mourir vaillamment, après avoir donné le témoignage de sa foi (III, 4) « Etiam ... excedere ».

C. *Confirmatio* :

1. Preuves de raison :

a) un bien qui est seulement permis n'est pas vraiment un bien :
— en effet, s'il a fallu recourir à une permission, c'est que l'on ne pouvait maintenir intégrales les exigences du bien parfait ; la permission comporte donc, par la force des choses, une cause suspecte ;
— en revanche, un bien authentique n'a pas à être permis ; son excellence est évidente et indiscutable (III, 4 « Possum... manifestum »).

b) le fait qu'une chose n'est pas interdite ne suffit pas à la recommander (III, 5 « Non propterea... inferiorum ») ;

c) une chose n'est pas bonne par le seul fait qu'elle n'est pas mauvaise (III, § 5 « Non ideo... malum non est ») ;

d) le fait qu'une chose ne cause pas de dommage ne suffit pas à garantir qu'elle ne comporte rien de dommageable (III, 5 « Nec ideo... non obest ») ;

e) une chose véritablement bonne non seulement ne cause pas de dommage mais elle confère un avantage effectif (§ 5 « Porro... prodest »).

Conclusion partielle : en conséquence, il faut préférer ce qui apporte un avantage réel à ce qui, seulement, n'est pas dommageable (§ 5 « Namque... non obest »).

2. Preuve scripturaire :

Si nous voulons remporter la victoire, écoutons les recommandations de l'Apôtre :

a) il nous enseigne à mépriser les choses inférieures et à rechercher les biens supérieurs : allusion à *Phil.* 3, 13 et *I Cor.* 12, 31 (III, 6 « Ad primum... simus ») ;

b) il nous indique où se trouve notre véritable intérêt : citation de *I Cor.* 7, 34 (§ 6 « Sic... placeat ») ;

c) lorsqu'il permet le mariage, il manifeste toujours, en même temps, sa préférence pour le célibat, qu'il a choisi pour lui-même : allusion à *I Cor.* 7, 7 ; 28 ; 40 (§ 6 « Ceterum... malit »).

Péroraison : Heureux celui qui deviendra semblable à l'Apôtre (§ 6 « Felicem... extiterit »).

Cur non sit rursus nubendum ? (IV-VIII, 3)

I. Réfutation des objections avancées pour justifier le remariage (IV-V)

A. *Réponses de principe* (IV, 1) :

a) On allègue la parole de l'Écriture, selon laquelle la chair est faible (*Matth.* 26, 41) ;
— mais pourquoi ne tient-on pas compte de la deuxième partie du même verset, qui rappelle que l'esprit est fort ?
— N'est-ce pas qu'en réalité on ne cherche que des excuses pour sa lâcheté ? (IV, 1 « Sed... tuemur »).

b) Ne devrions-nous pas rechercher les biens célestes ?
N'en sommes-nous pas capables, puisque nous pouvons compter sur la force de l'Esprit qui est en nous ?

Conclusion partielle : Dès lors, nous sommes inexcusables, si nous suivons la partie qui, en nous, est la plus faible (IV, 1-2 « Cur... sectamur »).

B. *Réfutation en règle des arguments supposés de la partie adverse* (IV, 2 - V, 4) :

En réalité, tous les arguments que l'on invoque pour justifier le remariage ne sont que des apparentes nécessités ; leur origine véritable c'est la concupiscence :

a) d'abord, la plus puissante aussi, la concupiscence de la chair :
— Elle allègue le droit d'user des fonctions naturelles, le besoin d'appui et de réconfort éprouvé par la veuve, la bonne réputation qu'elle se doit de sauvegarder (IV, 3 « Carnis... tuta sit »).
— Mais l'exemple des veuves chrétiennes, qui persévèrent dans

leur propos, devrait suffire à prouver l'inanité de ces prétextes (IV, 3 « Et tu... 4).

— De fait, l'amour des biens spirituels et immortels permet de triompher de tous les désirs charnels et terrestres (IV, 5).

b) en second lieu, la concupiscence du siècle, le désir d'un certain confort matériel et d'un certain prestige social (IV, 6).

— Mais un chrétien ignore de semblables calculs ; il se souvient de la Providence divine (allusion à *Matth.* 6, 26-32) ; il ne s'attache pas aux vanités du siècle, mais il s'applique à vivre en toute simplicité, sans luxe inutile (IV, 7).

Conclusion partielle : la veuve qui s'est mise au service du Seigneur n'a plus besoin de rien, sinon de persévérer dans son propos (IV, 8).

c) on allègue enfin le souci de s'assurer une postérité (V, 1-3) : Mais un chrétien ne saurait être sensible à cet argument, en effet :

— Les preuves imminentes de la fin des temps et la malignité de l'époque présente lui font désirer quitter ce monde pervers : allusion à *II Cor.* 7, 8 et *Phil.* 1, 23 (V, 1).

— Un chrétien ne doit-il pas, avant toutes choses, se préoccuper de son salut éternel ? Pourquoi irait-il se charger d'un fardeau, dont les païens cherchent à se défaire à tout prix ? (V, 1 « Nimirum... 2 « ... expugnantur »).

— Des enfants ne sont-ils pas une gêne, sinon un danger pour le salut : citation de *Matth.* 24, 19 ? En effet, au jour du grand départ, ne seront-ils pas un obstacle et un empêchement ?

Au contraire, les veuves sans enfants ne connaîtront pas ces embarras, inhérents au mariage (V, 2 « Nobis...3 » « ... nuptiarum »).

Conclusion partielle : aucune des prétendues nécessités, invoquées pour justifier le remariage ne convient à un chrétien (V, 3 « Igitur... seruis »).

C. *Péroraison* (V, 3-5)

Un chrétien, qui a été marié, se souvient qu'il a succombé, une fois déjà, aux vices les plus notables de la chair et du siècle, qui détournent le plus fréquemment de la loi de Dieu, à savoir les attraits de la volupté et les séductions de la cupidité (V, 3 « Vt non... expiasse »).

— Il redoute trop le jugement de Dieu, qui a frappé Sodome et Gomorrhe, où ces vices étaient florissants, et d'autres encore (V, 3 « Nubamus... Gomorra »).

— Il ne cède pas à l'aveuglement, mais tient toujours présente à son esprit la parole de saint Paul : Le temps se fait court : *I Cor.* 7, 29 (V, 4).

II. **Réfutations des objections**
faites au propos de viduité (VI-VIII, 3)

Transition : Si, d'après la parole de l'Apôtre, ceux qui sont mariés doivent vivre comme s'ils ne l'étaient pas (reprise de *I Cor.* 7, 29), combien plus ceux dont le mariage a pris fin doivent-ils s'interdire une nouvelle union (VI, 1 « Quodsi... non habent »).

A. *Ce propos est-il vraiment aussi difficile que d'aucuns le prétendent* ? Réponse : il est parfaitement réalisable (VI, 1-5) ; en effet :

a) une veuve chrétienne doit embrasser résolument l'idéal de la continence ; elle a, pour la stimuler, l'exemple des païennes qui gardent un chaste veuvage pour honorer la mémoire d'un mari très cher (VI, 1 « Vt... parentant »).

b) Si ce parti lui semble difficile, qu'elle considère l'exemple des chrétiens qui embrassent un idéal de vie encore plus difficile :
— soit qu'ils observent une chasteté perpétuelle, depuis leur baptême ;
— soit que, mariés, ils renoncent d'un commun accord, aux relations conjugales (VI, 2).

c) Une chrétienne ne serait-elle pas capable d'observer, pour l'amour de Dieu, ce que nombre de païennes pratiquent pour le démon :
— les Vestales à Rome ;
— les vierges préposées au culte de la Junon achéenne ;
— la Sibylle de Delphes ;
— les « veuves » qui assurent le culte de la Cérès africaine (VI, 3-4) ?

Conclusion partielle : Ces *exempla* constituent un véritable défi pour les chrétiens ; ils sont une imitation diabolique de la continence chrétienne, mais ne vaudront à leurs adeptes que la damnation (VI, 5).

B. *Quels avantages confère le propos d'un chaste veuvage* ? (VII, 1-3) Réponse : des avantages nombreux, en ce monde et en l'autre ; en effet :

a) Selon l'enseignement du Seigneur, la continence nous permet
— de prouver notre foi ;
— de nous préparer en vue du jour où notre corps sera revêtu d'incorruptibilité (allusion à *I Cor.* 15, 53) ;

— d'assumer pleinement la volonté de Dieu (VII, 1 « Nobis... Dei »).

b) En effet, puisque rien n'arrive sans la volonté de Dieu (allusion à *Matth.* 10, 29), lorsque Dieu permet la mort du conjoint, il signifie ainsi quelle est sa volonté et un chrétien s'interdira de rétablir l'état de mariage, auquel Dieu a voulu mettre fin (VII, 1 « Super... » — 2 « ... posuit »).

c) Au contraire, il s'empressera de saisir l'occasion qui lui est offerte de vivre enfin libéré de la servitude du mariage et, comme l'Apôtre l'y convie (citation de *I Cor.* 7, 27), il évitera de s'y engager à nouveau (VII, 2 « Quid... obligationem »).

Conclusion partielle et transition (VII, 3) ;

Certes, se remarier n'est pas un péché, mais c'est s'exposer à des épreuves redoutables, aux dires de l'Apôtre (allusion à *I Cor.* 7, 28).

C'est pourquoi la veuve chrétienne embrassera sans hésiter le propos de continence qui s'offre à elle ; elle pourra ainsi réaliser, enfin, ce qu'elle n'a pas eu le courage de pratiquer durant son mariage (VII, 3).

C. *Confirmatio* : (VII, 4-5)

Au contraire, les secondes noces constituent un obstacle et une menace pour la foi et une vie chaste et sainte. Deux preuves peuvent être avancées dans ce sens :

a) La discipline ecclésiastique, fondée sur l'Écriture, exclut, en effet, les digames des ministères sacrés et de l'ordre des veuves (allusion à *I Tim.* 3, 2 et 12 ; *Tite* 1, 6 ; *I Tim.* 5, 9) (VII, 4).

b) Si les païens aussi possèdent un sacerdoce de veuves et de vierges, c'est là une contrefaçon dérisoire, due à la jalousie du démon (VII, 5).

D. *Comparatio* (VIII, 1-3) :

Que l'on veuille bien comparer les mérites respectifs de la vierge et de la veuve :

a) L'Écriture montre combien le propos de viduité est agréable à Dieu : citation de *Is.* 1, 17-18. Dieu accorde sa protection toute spéciale à la veuve et à l'orphelin et admet dans son intimité celui qui prend leur défense (VIII, 1 « ... disputabit »).

Même les vierges ne méritent pas un tel honneur, et c'est justice :

b) Il suffit, en effet, de mettre en parallèle les mérites respectifs de l'une et de l'autre :

— l'intégrité corporelle de la vierge lui vaudra une récompense
toute spéciale dans les cieux ;

— mais le propos de viduité est, à certains égards, plus méritoire
encore, au point qu'il est permis de conclure :

Chez la vierge c'est la grâce qui est couronnée, chez la veuve le
courage et l'effort, en un mot, la vertu (VIII, 2-3 « ... perpetrantur »)

PÉRORAISON
(VIII, 3-5)

Que la veuve s'attache donc à prendre tous les moyens de nature à
favoriser son propos ; qu'elle veille notamment :

1. à pratiquer les vertus qui le soutiennent directement :
— l'humilité,
— l'application au travail,
— la tempérance (VIII, 3 « Stude... spernit ») ;

2. à cultiver les fréquentations dignes de Dieu : citation de *I Cor.* 15,
33 (VIII, 4 « ... mali ») ;

3. à éviter la compagnie des femmes bavardes, paresseuses, adonnées
à la boisson et aux commérages : allusion à *I Tim.* 5, 13 (VIII, 4
« Loquaces... » — 5 « ... propinqua »).

CONCLUSION
(VIII, 5)

Après les recommandations de l'Apôtre, celles que Tertullien adresse
à sa femme sont superflues ; elles pourront, toutefois, à l'occasion,
lui servir de *consolatio*.

AD UXOREM II

EXORDE
(I, 1-4)

Bien qu'il ait déjà traité antérieurement de la question du remariage,
Tertullien croit nécessaire d'y revenir, compte tenu de la faiblesse

humaine, afin de bien préciser qu'il n'est pas interdit. Mais il faut savoir qu'en ce cas la discipline de l'Église, fondée sur l'Écriture, impose de n'épouser qu'un chrétien (§ 1).

— Envisager la possibilité d'un remariage ne signifie pas sacrifier l'idéal de la continence, qui demeure le parti le plus élevé, le plus avantageux, le plus difficile, aussi (§ 2).

— Mais la facilité avec laquelle nombre de chrétiennes, veuves ou divorcées, épousent des païens, oblige Tertullien a souligner la gravité d'une telle démarche, condamnée par l'Écriture (§ 3) :

Propositio : En effet, s'il est tolérable que l'on se remarie — puisque l'Apôtre se borne à conseiller la continence aux veuves et aux femmes non mariées : citation de *I Cor.* 7, 7 —, en revanche, lorsqu'il précise les conditions auxquelles une veuve a le droit de se remarier, il énonce un ordre, clair et net : il ne leur est permis d'épouser qu'un chrétien citation de *I Cor.* 7, 39.

— Par conséquent, enfreindre ce précepte constitue une faute évidente et d'une extrême gravité (§ 4).

ARGUMENTATION
(II-VII)

An licet gentili coniungi ? (II, 1-6)

Réponse de Tertullien : Non.

Réfutation des objections préalables :

S'ils récusent ou contestent la portée du précepte paulinien, les adversaires doivent produire un texte scripturaire susceptible de le contrebalancer et de fonder la thèse contraire :

1. Or, étant donné que, nulle part, l'Écriture n'autorise *expressément* une chrétienne à épouser un païen,

— il faut se demander si les intéressées et leurs conseillers peuvent se réclamer de *I Cor.* 7, 12-14, en étendant à tous les mariages mixtes, déjà conclus ou à conclure, une règle qui ne concerne en réalité que la première catégorie (II, 1-2 « ... licere »).

2. Réponse de Tertullien : C'est là une interprétation abusive, qu'une lecture correcte du passage en question suffit à rejeter : en effet :

a) en *I Cor.* 7, 16, il est dit expressément : si un croyant *a* une épouse païenne — et non pas : s'il épouse une non-croyante ; il s'agit donc bien d'un couple dont le mari s'est converti, tandis que la femme restait païenne (§ 2) ;

b) du reste, le but du précepte confirme que c'est bien ainsi qu'il faut le comprendre : Dieu appelle les conjoints à vivre dans la paix et il donne à de tels mariages l'espoir de conversion de la partie non croyante (§ 3 « ... lucrifieri ») ;

c) La finale du passage confirme, à son tour, que tel est bien le sens des versets en cause ; l'Apôtre y déclare : Que chacun demeure en la condition où l'a saisi l'appel du Seigneur (*I Cor.* 7, 17).

Une fois encore, il s'agit d'un couple, dont l'un des conjoints s'est converti au christianisme (§ 3 « Ipsa... nubere »).

d) Il est donc impossible de lire en *I Cor.* 7, 12-14 une autorisation *implicite* en faveur de mariages mixtes encore à conclure,

→ d'autant moins qu'en *I Cor.* 7, 39, l'Apôtre spécifie *expressément* qu'une veuve, libre de se remarier à la mort de son mari, doit le faire : dans le Seigneur seulement (*tantum in Domino*), ce qui signifie incontestablement : elle ne doit épouser qu'un chrétien.

→ Est-il concevable que l'Apôtre ait pu se contredire à aussi bref intervalle ? (§ 3 « Si uero... » → 4 « ... christiano »).

Conclusion partielle : Toute autre forme de remariage est donc interdite par l'Apôtre, autant dire par Dieu lui-même, dont il est facile de reconnaître le précepte à son expression claire et nette (§ 4 « Ille igitur... » → § 6 « ... observes »).

Cur non licet ? (II, 6 - VIII, 5)

I. Justification du précepte par l'Écriture (II, 6 - VII)

C'est à juste titre qu'il est interdit à des chrétiens d'épouser des non-croyants ; de telles unions comportent, en effet, de nombreux dangers pour la foi, prévus par l'Apôtre à savoir :

A. *Ceux qui menacent le corps* (II, 6 - III, 2)

Au contact d'un païen, un chrétien contracte nécessairement une souillure.

1. Réfutation d'une objection des adversaires (II, 7-9) :

On objectera peut-être : si l'on admet une telle contamination, il est impossible de dissocier le cas de ceux qui sont devenus chrétiens alors qu'ils étaient déjà mariés avec un conjoint païen et le cas de chrétiens qui épousent des païens. Réponse de Tertullien : on ne peut pas mettre les deux situations sur le même plan ; en effet :

a) Première distinction à faire : au regard de la volonté de Dieu, qui fixe le *status legis* pour les chrétiens :

— le Seigneur a interdit le divorce et recommandé la continence ; de ce fait il a placé les mariages chrétiens sous un régime légal, qui leur confère le *status necessitatis* ; les mariages à conclure, au contraire, appartiennent au domaine des possibles, régis par un statut différent ;

— les unions préchrétiennes devenues mixtes relèvent de la première catégorie ; les mariages mixtes à conclure, de la seconde (II, 8).

b) Deuxième distinction à faire : au regard de la *ratio legis* :

— d'après *I Cor.* 7, 17 et 14, la grâce de Dieu sanctifie ce qu'elle trouve, en sorte que, dans les unions préchrétiennes devenues mixtes, celui qui se convertit est purifié de toute souillure et le conjoint païen en même temps ;

— ceci ne peut se réaliser dans les mariages mixtes à conclure, puisque la grâce de Dieu a déjà sanctifié le conjoint chrétien (et qu'elle n'a pas, alors, trouvé le conjoint païen avec lui).

Dans ce cas, la partie païenne est et demeure impure ; lorsqu'elle entre en contact avec la partie chrétienne, ce ne peut être que pour lui communiquer sa souillure et provoquer sa perte (II, 9).

2. Nature et gravité du délit (III, 1-2)

Compte tenu de ce qui a été démontré antérieurement, les chrétiens qui épousent des non-croyants commettent une faute, dont il s'agit d'apprécier la nature et la gravité :

a) les « mariages mixtes » constituent un délit de fornication (*stuprum*), qui doit être sanctionné par une excommunication, c'est-à-dire, pour reprendre les termes de l'Apôtre (*I Cor.* 5, 11), une exclusion totale de la fraternité chrétienne (III, 1 « ... sumendum »).

— Leur correction légale ne suffit pas à blanchir les coupables, car ils ont violé la loi de Dieu, au même titre que ceux qui commettent un adultère ou une fornication.

— En effet, s'unir à un païen, c'est profaner le temple de Dieu (allusion à *I Cor.* 3, 16) ; c'est mêler les membres du Christ avec les membres d'une adultère (allusion à *I Cor.* 6, 15) ; c'est user de manière indue d'un bien qui ne nous appartient pas (délit d'*iniuria*).

— S'il est vrai que nous avons été rachetés par le sang d'un Dieu (allusion à *I Cor.* 6, 19 s.), notre corps appartient à Dieu, et lui porter atteinte c'est offenser Dieu directement (III, 1 « Quod sciam... »).

b) On a prétendu qu'il s'agit d'une faute minime ;

Réponse de Tertullien :

— Même si l'on fait abstraction du fait qu'il s'agit d'une *iniuria*, commise au détriment d'un corps qui appartient à Dieu,

— il reste que toute faute délibérée — qui enfreint sciemment un précepte divin — est une faute grave ;

— or, on est libre de se marier ou de ne pas se marier ; mais si l'on se marie, on doit respecter la loi de Dieu, qui interdit les « mariages mixtes » et c'est là une interdiction qu'il est facile de respecter; — par conséquent, si on l'enfreint, on est coupable de contumace, autant dire de rébellion directe et opiniâtre contre la volonté de Dieu (III, 2).

B. *Ce qui menace l'esprit* : (III, 3 - VII)

1. *Confirmatio* : (III, 3 - IV)

Parmi les dangers et blessures qui menacent la foi — prévus par l'Apôtre — il faut compter aussi ceux qui affectent « l'esprit » :

a) s'il est vrai que « les mauvaises conversations corrompent les bonnes mœurs » (citation de *I Cor.* 15, 33), combien plus le partage de toute la vie et l'intimité de tous les instants dans l'état du mariage (§ 3 « ... usus »).

b) une chrétienne doit suivre en toutes choses la volonté de Dieu ; — comment pourrait-elle servir deux maîtres à la fois, le Seigneur et un mari païen (allusion à *Matth.* 6, 24) ?

1′. D'une part, si elle règle sa conduite sur la volonté de son mari, elle deviendra païenne en tout son comportement (§ 3 « Quaeuis... » — § 4).

2′. De plus, le mari païen, aux ordres du démon, l'empêchera d'accomplir ses devoirs envers Dieu :

— d'observer les jours de station et de jeûne,

— de pratiquer l'aumône,

— de participer aux offices nocturnes, aux solennités pascales,

— de recevoir l'eucharistie,

— de visiter les prisonniers, de saluer les frères chrétiens par le baiser de paix, d'offrir l'hospitalité aux frères de passage (VI).

2. Réfutation des objections (V-VII)

1. Mais, dira-t-on, certains maris païens se montrent tolérants pour les pratiques chrétiennes (V, 1 « Sed... obstrepit »).

Réponse de Tertullien : Même dans ce cas, on n'est pas moins coupable, car ;

a) réponses de principe (§ 1 « Hoc est... impatiens ») :
— c'est livrer aux païens les pratiques chrétiennes ;
— s'en remettre à leur discrétion et à leur bon vouloir pour l'accomplissement de ses devoirs de chrétien ;
— s'enfermer dans un redoutable dilemme, car il est impossible d'obéir à la fois aux préceptes de l'Écriture que voici :
d'une part, *I Cor.* 10, 29, qui demande au chrétien de ne pas régler sa conduite sur une conscience étrangère ;
d'autre part, *I Cor.* 7, 32, qui lui demande d'agir sans se tourmenter : une chrétienne mariée à un païen enfreindra nécessairement le premier précepte, en informant son mari, s'il est tolérant — ou le second, si elle l'évite, parce qu'il n'est pas tolérant (§ 1).

Transition : D'après *Matth.* 7, 6, le chrétien ne doit pas jeter ses perles aux pourceaux ; or, ses perles, ce sont les pratiques quotidiennes qui distinguent le chrétien (§ 2 « Nolite... insignia »).

b) Illustration : la vie quotidienne d'une chrétienne mariée à un païen qui se montre tolérant (V, 2 « Quanto... » — VI, 2) :

1'. Les activités chrétiennes sont entravées de bien des manières (V, 2 « ... ueneni »).

Plus la femme s'efforcera de cacher ses pratiques religieuses, plus elle les rendra suspectes et suscitera la curiosité indiscrète et avide des païens ; elle se verra donc réduite à se cacher, qu'il s'agisse :
— du signe de la croix,
— des exorcismes par exsufflation,
— des prières récitées la nuit,
mais surtout de la réception de l'eucharistie, objet de tant de calomnies et de tant de soupçons (V, 2 « Quanto... ueneni »).

Confirmatur : Les maris païens, *apparemment* tolérants pour les usages religieux des chrétiens, ne visent, en réalité, qu'à s'emparer de la fortune de leurs épouses chrétiennes ; il leur est facile de l'extorquer en recourant au chantage ou à la menace de les dénoncer comme chrétiennes (V, 2 « Sustinent... litigaturi »).

Conclusion partielle : Ces exemples prouvent bien que les « mariages mixtes » conduisent à la ruine financière ou à la perte de la foi.

2'. Les activités païennes constituent une menace permanente (VI).

— Dans la maison, l'épouse chrétienne d'un mari païen est perpétuellement au contact des dieux païens ; il lui faut, en outre, participer aux honneurs rendus aux démons, aux fêtes des princes, à celles qui marquent le début de l'année ou du mois ; elle ne peut s'opposer aux usages païens dans la décoration de la maison (couronnes, lampes...).

— Hors de la maison, il lui faudra accompagner son mari en des lieux où elle n'a que faire, participer à des banquets, fréquenter des auberges, servir à table des pécheurs (VI,1 « ... ministrare »).

Transition : N'est-ce point là, déjà, un présage de sa damnation future ? Elle qui était appelée à juger les pécheurs, doit se mettre à leur service et obéir à leurs moindres désirs (VI, 1 « Et non hinc... iudicatura »).

Funestes conséquences de cette conduite :

Lui sera-t-il possible de ne point abandonner les pratiques chrétiennes : la réception de l'eucharistie ? les chants chrétiens ? la prière ? les saintes Écritures ? (VI, 1 « De cuius manu... » — 2 « ... interiectione »).

Conclusion partielle :

Comment ne serait-elle pas abandonnée par l'Esprit et la grâce de Dieu et livrée tout entière aux forces du mal ? (VI, 2 « Vibi spiritus... immissa »).

2. Une deuxième objection peut être soulevée : les dangers pour la foi, qui viennent d'être énumérés, ne menacent-ils pas tout autant les chrétiens qui restent mariés à leur conjoint païen, après leur conversion ? (VII)

Réponse de Tertullien :

Encore une fois, il importe de bien distinguer les deux cas :

a) la situation de ces personnes est excusable ; elle est, en effet, conforme à la volonté de Dieu, exprimée dans l'*Écriture* :

— il leur est enjoint de demeurer en l'état où la grâce de Dieu les a saisis (allusion à *I Cor.* 7, 17 et 13) ;

— leur sanctification s'opère effectivement (allusion à *I Cor.* 7, 14) ;

— la conversion du conjoint païen peut être espérée (allusion à *I Cor.* 7, 16).

La *raison* confirme le bien-fondé de cette argumentation fondée sur l'Écriture : elle permet de comprendre que, dans le mariage qui vient d'être évoqué, les obstacles à la foi ne sont pas décisifs et que des résultats positifs peuvent être attendus ; en effet, la grâce de Dieu s'y trouve déjà à l'œuvre :

— une force divine habite la partie chrétienne, qui impressionne le conjoint païen et lui fait relâcher son hostilité ;

— le spectacle de la conversion survenue, l'expérience du changement de vie qui s'est ensuivi, le contact habituel avec la grâce de Dieu,

constituent autant de gages de conversion du conjoint païen (VII, 1
« Si ergo... — 2).

b) au contraire, ceux qui s'engagent librement et délibérément
dans un « mariage mixte » n'ont aucune excuse :
— un tel mariage est condamné par Dieu ;
— il est l'œuvre du démon (VII, 3 « Ceterum... inferuntur »).

Confirmatur : Il est possible de donner une preuve (*signum*) à
l'appui de cette affirmation : c'est que seuls les chasseurs de dot
acceptent d'épouser des chrétiennes (VII, 3 « Hoc signi... excludant »).

Conclusion partielle :
Un tel mariage ne peut avoir qu'une issue désastreuse pour les
imprudentes qui s'y engagent, la ruine matérielle et la perte de la foi ;
arrangé par le démon, il est condamné par le Seigneur (VII, 3 « Habes...
amnatur »).

II. Justification du précepte au regard de la raison (VIII, 1-5).

Il suffit, du reste, d'un peu de bon sens pour se convaincre des
dangers liés aux mariages mixtes et comprendre le bien-fondé de leur
interdiction (VIII, 1 « Ad hoc... sententiarum ») :

1. Les païens procèdent exactement de la même manière :

a) les maîtres païens les plus sévères et les plus attachés à la discipline interdisent à leurs esclaves de se marier en dehors de la maison.
— Motifs de cette interdiction : c'est afin d'éviter que ces esclaves
ne sombrent dans la débauche, ne négligent leurs devoirs et ne livrent à
des étrangers les biens de leur maître (VIII, 1 « Nonne... promant »).

b) la législation païenne prescrit de réduire en esclavage les femmes
qui, unies à des esclaves étrangers, maintiennent une telle union
malgré l'avertissement formel du maître de ces esclaves (VIII, 1
« Nonne... »).

Conclusion partielle : De même, les chrétiennes qui s'engagent dans
un mariage mixte méritent de perdre leur condition, puisqu'elles
s'unissent à un esclave du démon, malgré l'avertissement formel du
Seigneur, qui leur a été intimé par l'Apôtre (VIII, 2 « ... denuntiatum »).

2. L'examen des causes qui poussent à conclure des « mariages
mixtes » permet, d'autre part, de juger de leur inanité et, par contre-
coup, de justifier l'interdiction de telles unions : (VIII, 2 « Quam
huius... » — 3 « ... non praestet»).

Ce sont : — la faiblesse de la foi ;
        — l'attirance des plaisirs du siècle (VIII, 2 « Quam huius...
        gaudiorum »).

Ces causes jouent surtout chez les chrétiennes fortunées : faute de trouver un mari riche parmi les chrétiens, elles recherchent des maris païens, qui leur accorderont toutes les vanités d'un luxe inutile (VIII, 3).

Conclusion partielle, sous forme d'exhortation : Que les chrétiennes riches imitent les femmes païennes de la meilleure société (VIII, 4-5).

— Celles-ci n'hésitent pas à épouser des partenaires païens sans renom ni fortune, voire leurs propres esclaves, pourvu que leur liberté ne rencontre aucun obstacle (VIII, 4 « Pleraeque... timeant »).

— En épousant des partenaires chrétiens sans fortune, les chrétiennes recueilleront un avantage bien supérieur, puisque le Seigneur a promis aux pauvres le royaume des cieux (VIII, 4 « Christianam... » — 5).

Péroraison
(VIII, 6-8)

Le bonheur du mariage chrétien :

1. En sa conclusion, il est béni par Dieu, car :

— l'Église, l'eucharistie, la prière y contribuent ;
— les anges l'attestent ;
— le Père céleste le ratifie (VIII, 6).

2. En son épanouissement, toute la vie durant, il offre le modèle d'une union sans faille :

a) dans les biens spirituels que les époux partagent : (VIII, 7 « ... seruitatis ») ;

b) dans l'unité parfaite, du corps et de l'âme, qui les unit (VIII, 7 « Ambo... — spiritus »)

c) dans les fruits spirituels de cette union :

— l'accomplissement commun des devoirs religieux ;
— la participation aux offices et à l'eucharistie ;
— la mise en commun des épreuves et des joies (VIII, 7 « simul orant... » — 8 ... refrigeriis)

d) une confiance réciproque, gage d'une véritable liberté :
— dans l'exercice de la charité chrétienne ;

— dans l'accomplissement des obligations religieuses
— et les pratiques de la vie quotidienne (VIII, 8 « Neuter... benedictio ») ;

e) la joie qui habite les époux chrétiens
— elle s'exprime par le chant de psaumes, d'hymnes et de louanges
à Dieu ;
— elle appelle la joie et la bénédiction du Christ, qui accorde aux
époux chrétiens

f) sa paix (§ 8 « Sonant... » — § 9 « ... mittit »)

g) et le bien inestimable de sa présence (allusion à *Matth.* 18, 20)
(§ 9 « Vbi duo... non est »).

CONCLUSION
(VIII, 9)

Ces considérations explicitent le précepte de l'Apôtre (*I Cor.* 7, 39).
Puissent-elles, s'il en était besoin, détourner de leur projet funeste les
chrétiennes qui envisageraient de contracter un « mariage mixte ».
Ces unions leur sont interdites, et même si elles étaient autorisées,
il faudrait s'en abstenir, tant elles sont dommageables.

CONSPECTVS SIGLORVM

A	Parisinus latinus 1622, saec. IX (Agobardinus)
F	Florentinus Magliabechianus, conv. soppr. I, VI, 10, saec. XV
G	Gorziensis amissus, quem adhibuit B. Rhenanus in editione tertia
N	Florentinus Magliabechianus, conv. soppr., I, VI, 9, anni 1426
X	Luxemburgensis 75, saec. XV
θ	consensus codicum *NFX*
α	consensus codicum *NG*
β	consensus codicum *FX*
R[1]	editio princeps Beati Rhenani, Basileae 1521
R[2]	editio altera Beati Rhenani, Basileae 1528
R[3]	editio tertia Beati Rhenani, Basileae 1539
R	consensus editionum Beati Rhenani
Pam.	editio Iacobi Pamelii, Antverpiae 1584
Lat.	notae Latini Latinii ex libro qui inscribitur Loci ex coniectura LL. Viterbiensis vel restituti vel aliter lecti in Tertulliano post editionem Pamelii, Romae 1584
Iun.	notae Francisci Iunii editioni Pamelianae iteratae (Franecerae 1597) in appendice additae
Scal.	notae Iosephi Iusti Scaligeri exemplari editionis Pamelianae iteratae (Franecerae 1597), quod in bibliotheca Leidensi adservatur, manuscriptae

Vrs	notae Fulvii Ursini ab Ioanne a Wouwer traditae in libro qui inscribitur Ad Q.S.F. Tertulliani opera emendationes epidicticae, Francofurti 1603
Rig.	editio Nicolai Rigaltii, Lutetiae 1634
Oehl.	editio Francisci Oehler, Lipsiae 1854
Kroy.	editio Aemilii Kroymann, Vindobonae 1942 (*CSEL* 70) (= *CC* Turnhoult 1954)
Ste.	editio Adriani Stephan, Hagae Comitis 1954
cett.	codices et editiones Beati Rhenani praeter testes antea commemoratos
codd.	consensus codicum omnium
coni.	coniecit
def.	deficit
om.	omisit
tr.	transposuit

Œuvres de Tertullien

Abréviations

An.   : *De anima*
Apol.   : *Apologeticum*
Bapt.   : *De baptismo*
Cast.   : *De exhortatione castitatis*
Cor.   : *De corona*
Cult.   : *De cultu feminarum*
Herm.   : *Aduersus Hermogenem*
Idol.   : *De idolatria*
Iei.   : *De ieiunio aduersus psychicos*
Marc.   : *Aduersus Marcionem*
Mart.   : *Ad martyras*
Mon.   : *de monogamia*
Nat.   : *Ad nationas*
Orat.   : *De oratione*
Paen.   : *De paenitentia*
Pal.   : *De pallio*
Pat.   : *De patientia*
Praes. : *De praescriptione haereticorum*
Pud.   : *De pudicitia*
Scap.   : *Ad scapulam*
Scorp. : *Scorpiace*
Spect. : *De spectaculis*
Test.   : *De testimonio animae*
Val.   : *Aduersus Valentinianos*
Virg.   : *De virginibus uelandis*
Vx.   : *Ad uxorem*

Dans les renvois aux œuvres de Tertullien, les chiffres romains indiquent les Livres, les chiffres arabes indiquent successivement les chapitres et les paragraphes.

TEXTE

ET

TRADUCTION

AD VXOREM LIBRI DVO

LIBER PRIMVS

I, 1. Dignum duxi, dilectissime mihi in Domino conserua, quid tibi sectandum sit post discessum de saeculo meum, si prior te fuero uocatus, iam hinc prouidere, ut prouisum obserues, mandare fidei tuae.

5 2. Nam saecularibus satis agentes sumus et utrique nostrum consultum uolumus, talibus tabulas ordinamus ; cur non magis de diuinis atque caelestibus posteritati nostrae prospicere debeamus et legatum quodammodo praelegare admonitionem et demons- 10 trationem eorum quae ex bonis immortalibus et de hereditate caelorum deputantur ?

3. Tu modo ut solidum capere possis hoc meae admonitionis fideicommissum Deus faciat, cui sit honor, gloria, claritas, dignitas et potestas et nunc 15 et in saecula saeculorum[a].

Titulus : Incipit ad uxorem liber I   A : Incipit liber primus de uxore   N : Incipit liber primus Tertulliani De uxore   F : Q. Septimii Florentis Tertuliani. Incipit liber primus ad uxorem   X.

I. 1. dignum — mihi *om.* F (*praeter litteram rubricatam* : D) ‖ dignum duxi *om.* XR[1.2] ‖ dilectissimam N ‖ mihi *om.* XR[1.2] ‖ 3. fuero te *tr.* X ‖ 6. uolumus : uolibus F ‖ tabulas *Rig.* : tabulis A   *om. cett.* ‖ 7. atque R[2.3] : adque A   aeque βR[1] ‖ 8. posteritate X ‖ 9. et A : sed θR ‖ 10. dę

A SON ÉPOUSE

LIVRE I

I, 1. J'ai estimé convenable, très chère compagne dans le service du Seigneur, quant aux dispositions que tu auras à suivre après mon départ de ce monde, si je suis appelé à le quitter le premier, de les prévoir dès à présent ; de m'en remettre à ta fidélité, pour observer ce qui a été prévu.

2. Pour nos affaires temporelles, en effet, nous nous donnons assez de mal et nous voulons qu'il soit pourvu à nos intérêts à l'un et l'autre, nous ordonnons des testaments à cet effet ; pourquoi ne devrions-nous pas bien davantage veiller à nos affaires divines et célestes dans l'intérêt de notre postérité et léguer en quelque sorte un legs par anticipation : une exhortation et un inventaire détaillé de ce qui lui reviendra en biens impérissables, et à valoir sur l'héritage des cieux.

3. Que Dieu t'accorde de pouvoir recueillir intégralement ce fidéi-commis de mon exhortation ; à Lui honneur, gloire, splendeur, majesté et puissance, maintenant et dans les siècles des siècles[a].

---

om. A ‖ 12. poscis X ‖ 13. ⟨ac⟩ fideic. A ‖ 14. et potestas et nunc A : pot. nunc *cett.* ‖ 15. seculorum ⟨amen⟩ θR ‖

I, a. Cf. Apoc. 5, 13 ; 4, 11 ; Jude 25

4. Praecipio igitur tibi, quanta continentia potes, post excessum nostrum renunties nuptiis, nihil mihi isto nomine collatura, nisi quod tibi proderis. Ceterum Christianis saeculo digressis nulla restitutio nuptiarum
20 in diem resurrectioniῃ repromittitur, translatis scilicet in angelicam qualitatem et sanctitatem. Proinde sollicitudo nulla, quae de carnis zelo uenit.

5. Etiam illa, quam septem fratribus per successionem nupsisse uoluerunt, neminem tot maritorum
25 resurrectionis die offendet, nec quisquam illam confusurus expectat. Quaestio Sadducaeorum cessit sententiae Domini[b].

6. Ne me putes propter carnis tuae integritatem mihi reseruandam de contumeliae dolore suspectum
30 insinuare iam hinc tibi consilium uiduitatis. Nihil tunc inter nos dedecoris uoluptuosi resumetur. Non enim tam friuola, tam spurca Deus suis pollicetur. Sed an tibi uel cuicumque alii feminae ad Deum pertinenti proficiat quod suademus, licet retractare.

II, 1. Non quidem abnuimus coniunctionem uiri et feminae, benedictam a Deo[a] ut seminarium gene-

---

17. nostrum AR : nostrorum θ ‖ 18. proderiset X ‖ 19. digresis X ‖ 20. diem θR ‖ 21. qualitatem θR : quantitatem A ‖ sanctitatem et qualitatem *tr.* N ‖ 22-23 uenit. etiam illa A : uel in sententiam illam θR[1,2] uel Domini sententia illa R[3] ‖ 24. nupsisse u.n. tot *om.* A. ‖ nupsisse uoluerunt R[3] : nuptiis euoluerunt θ nuptiis euoluere R[1,2] ‖ 25. die θR : dies A ‖ 29. reseruandam θR : preseruandam A ‖ suspectant F ‖ 31. non A : nec θR ‖ 32. friuolam X ‖ spurga A : spurcha N ‖ 33. cuicumque ANF : cuique X ‖ alii ANF : aliae X ‖ pertinenti AR[3] : pertineanti A[ac] pertinentis θR[1,2] ‖ 34. proficiat βR : profitiat N proficiet A ‖ retractare θR : pertractare A

II. 1. cumiunctionem β ‖ et A : ac θR ‖ 2. deo A : domino θR ‖ 2-3. seminarium generis humani A : sciremus generi (genere X) humano θR ‖ et[2] ANFR : ex X

4. Voici donc ce que je t'enjoins, c'est qu'après ma mort, t'appliquant à la continence de toutes les forces dont tu es capable, tu renonces au mariage — il ne m'en reviendra aucun avantage en dehors de celui qui en résultera pour toi. Du reste, aux chrétiens qui ont quitté ce monde, il n'est aucunement promis qu'ils seront rétablis dans la condition du mariage au jour de la résurrection, puisqu'ils seront transformés et revêtiront la chaste condition des anges. Dès lors, ils ne connaîtront plus aucun de ces tourments qui naissent de la jalousie de la chair.

5. Même la femme qui, selon ce qu'on a prétendu, avait épousé sept frères successivement, n'importunera aucun de tous ces maris au jour de la résurrection et aucun d'eux ne l'attend pour la couvrir de confusion. L'objection des Sadducéens est tombée devant la réponse du Seigneur[b].

6. Ne va pas croire que je te conseille de rester veuve dans l'intention de me réserver à moi seul les droits sur ton corps, parce que je me tourmenterais à la pensée d'être un jour méprisé. A ce moment là, nous ne prétendrons pas faire revivre entre nous aucun de ces plaisirs dégradants. Ce ne sont pas des choses aussi futiles, aussi immondes que Dieu promet aux siens. Mais la ligne de conduite que je te recommande est-elle profitable pour toi ou pour toute autre femme qui appartient à Dieu, c'est là une question qu'il est permis d'examiner.

II, 1. Certes nous ne rejetons pas l'union de l'homme et de la femme : elle a été bénie par Dieu[a] comme étant la pépinière du genre humain ; elle a été inscrite dans son dessein,

ris humani et replendo orbi[b] et instruendo saeculo
excogitatam, atque exinde permissam, unam tamen.
5 Nam et Adam unus Euae maritus et Eua una uxor
illius, una mulier, una costa[c].

2. Sane apud ueteres nostros ipsosque patriarchas,
non modo nubere, sed etiam plurifariam matrimoniis
uti, fas fuit. Erant et concubinae.

10 3. Sed licet figuraliter in synagoga ecclesia intercesserit[d], ut tamen simpliciter interpretemur, necessarium fuit instituere, quae postea aut amputari aut
temperari mererentur. Superuentura enim lex erat[e] :
oportebat enim legis adimplendae causas praecucurrisse ;
15 item mox legi succedere habebat Dei sermo, circumcisionem inducens spiritalem[f].

4. Igitur per licentiam tunc passiuam materiae subse-
quentium emendationum praeministrabantur, quas Dominus euangelio suo, dehinc apostolus in extremitatibus
20 saeculi[g] aut excidit redundantes aut composuit inconditas.

III, 1. Sed non ideo praemiserim de libertate uetus-
tatis et posteritatis castigatione, ut praestruam Chris-
tum separandis matrimoniis, abolendis coniunctionibus
aduenisse, quasi iam hinc finem nubendi praescribam.

---

5. unus A βR : unius N ‖ 8. sed *om.* θR ‖ 9. ⟨fas⟩fas A ‖ 10. sed : et X
‖ 10-11. figuraliter in sinagoga ecclesia intercesserit A : figuratum (figura
tum R³) in sinagogam et ecclesiam cesserit θR ‖ 14. enim *om.* θR ‖ 15.
item A : idem θR¹⁻² eidem R³ ‖ succedere A : succurrere θR ‖ 17. passiua
X ‖ matheriae AR : materiam NF materia X ‖ 18. emendationem X ‖
19. apostolis X ‖ 20. excidit θR : excidet A
III. 2. castigationem θR ‖ 3. matrimonii N ‖ abolendis A : et delendis θR
‖ 4. praescribam A^pc : praescribant A^ac praescriptam θR

pour peupler l'univers[b] et remplir les siècles, et donc permise,
mais une seule fois, cependant. Car Adam fut l'époux unique
d'Ève, et Ève son épouse unique : une seule femme, une
seule côte[c].

2. Sans doute chez nos ancêtres et précisément les patriarches, existait le droit non seulement de se marier, mais
même de contracter plusieurs mariages à la fois ; en outre,
ils avaient des concubines.

3. Bien qu'il s'agisse là d'une allégorie de l'Église dans la
Synagogue[d], nous voulons toutefois donner une interprétation
toute simple : il était nécessaire de créer d'abord des usages
qui devaient par la suite être supprimés ou corrigés. La loi
mosaïque, en effet, devait intervenir[e] : il fallait bien que
fussent apparues dans un premier temps les raisons d'accomplir la loi ; à son tour, le Verbe de Dieu devait remplacer
la loi, en introduisant la circoncision spirituelle[f].

4. Ainsi donc, la tolérance générale des temps anciens
fournissait la matière des réformes à venir, matière dont
le Seigneur, en son évangile, puis l'Apôtre, en ces temps qui
sont les derniers[g], ont élagué le foisonnement et ordonné
la confusion.

III, 1. Si j'ai évoqué d'emblée la liberté laissée aux
temps anciens et la rigueur imposée aux temps qui suivirent,
ce n'est pas afin de démontrer que le Christ est venu rompre
les mariages et interdire d'en contracter, comme si je voulais
fonder là-dessus l'abolition définitive du mariage. Qu'ils

---

b. Cf. Gen. 1, 28
c. Cf. Gen. 2, 21
d. Cf. Gal. 4, 22-28
e. Cf. Rom. 5, 20.
f. Cf. Rom. 2, 29 ; Lév. 26, 41 ; Deut. 10, 16
g. I Cor. 10,11

5 Viderint qui inter cetera peruersitatum suarum disiun-
gere docent *carnem in duobus unam*[a], negantes eum,
qui feminam de masculo mutuatus, duo corpora ex
eiusdem materiae consortio sumpta, rursus in se
matrimonii compactione compegit.

10 2. Denique prohiberi nuptias nusquam omnino legimus, ut bonum scilicet. Quid tamen bono isto melius
sit, accipimus ab apostolo, permittente quidem nubere,
sed abstinentiam praeferente[b], illud propter insidias
temptationum[c], hoc propter angustias temporum[d].

15 3. Qua ratione utriusque pronuntiationis inspecta,
facile dinoscitur necessitate nobis concessam[e] esse
nubendi potestatem. Quod autem necessitas praestat,
depretiat ipsa. Quod denique scriptum est : *Melius
nubere quam uri*[f], quale hoc bonum est, oro te, quod
20 mali comparatio commendat, ut ideo melius sit nubere,
quia deterius est uri ?

4. Atenim quanto melius est neque nubere neque uri.
Etiam in persecutionibus melius ex permissu[g] fugere
de oppido in oppidum, quam comprehensum et dis-
25 tortum negare. At quanto beatiores, qui ualent beata
testimonii confessione excedere. Possum dicere : quod

---

5. qui : quae θ ‖ 6. in A : de θR ‖ 7. ex R : et *codd.* ‖ 8. eiusdem : eius
A ‖ 9. compactione θR : computatione A ‖ 18. quod (denique) : quae N ‖
melius ⟨est⟩ R ‖ 22. ad enim X ‖ 23. etiam A : sed etiam NFR sed et
eam X ‖ persecutionibus AR : perfectionibus θ ‖ melius N : melius est
AFXR ‖ permisso N ‖ 24. in oppidum *om.* A ‖ compraehensum A : com-
pressum θR ‖ 25. necare θ ‖ at quanto : *scripsi* atque isto *codd.* R ‖ beatiores A : beata est idem θR ‖ qui ualent beata A : uae qui negant beati θ
‖ 26. confessione : conf. em A ‖ excidere θR

III, a. Gen. 2, 24 ; Matth. 19, 5-6
b. Cf. I Cor. 7, 1-2, 26

prennent garde ceux qui, entre autres aberrations, enseignent qu'il faut séparer ceux qui sont deux en une seule chair[a], car ils rejettent aussi Celui qui emprunta à l'homme de quoi former la femme, puis réajusta dans l'ajustement du mariage les deux corps qu'il avait tirés d'une masse homogène.

2. Car enfin nous ne lisons absolument nulle part que le mariage est interdit, pour la bonne raison qu'il est, effectivement, un bien. Ce qui, cependant, est meilleur que ce bien, l'Apôtre nous l'enseigne, lui qui permet, assurément, que l'on se marie, mais préfère la continence[b]. Sa permission se fonde sur les dangers que font courir les tentations charnelles[c], sa préférence sur les angoisses liées aux derniers temps[d].

3. Si nous examinons les motifs de ces deux déclarations, nous reconnaissons facilement que la permission de nous marier ne nous a été accordée[e] qu'en vertu d'une nécessité ; or, ce que la nécessité accorde, elle le déprécie du même coup. Quant à ce qui est écrit : Mieux vaut se marier que de brûler[f], quel est ce bien, je te le demande, qui ne reçoit sa recommandation que par comparaison avec un mal, de sorte qu'il vaut mieux se marier pour la raison qu'il est pire de brûler ?

4. Mais combien mieux vaut-il, tout à la fois, ne pas se marier et ne point brûler ! En temps de persécution aussi il vaut mieux fuir de ville en ville, comme on nous le permet[g], que de se laisser arrêter et d'apostasier sous la torture. Mais combien plus heureux sont-ils ceux qui ont le courage de mourir en rendant l'heureux témoignage de leur martyre !

---

c. Cf. I Cor. 7, 5
d. Cf. I Cor. 7, 26
e. Cf. I Cor. 7, 6, 26
f. I Cor. 7, 9
g. Cf. Matth. 10, 23

permittitur, bonum non est. Quid enim ? Necesse
est mori mihi. Si probor, bonum est[h]. Quod si timeo...
Quod permittitur, suspectam habet permissionis suae
30 causam. Quod autem melius est, nemo permisit, ut
indubitatum et sua sinceritate manifestum.

5. Non propterea appetenda sunt quaedam, quia
non uetantur — etsi quodammodo uetantur, cum
alia illis praeferuntur : praelatio enim superiorum
35 dissuasio est inferiorum —, non ideo quid bonum
est, quia malum non est, nec ideo malum non est,
quia non obest. Porro plene bonum hoc antecedit,
quod non modo non obest, sed insuper prodest. Namque
malle debes quod prodest quam quod non obest.

40 6. Ad primum enim locum[i] certamen omne conten-
dit ; secundus solatium habet, uictoriam non habet.
Quod si apostolo auscultamus, *obliti posteriorum et
extendamur in priora*[j] *et meliorum donatiuorum sec-
tatores simus*[k]. Sic nobis, *etsi laqueum non imponit*[l],
45 quid utilitatis sit ostendit, dicens : *Innupta de dominicis
cogitat, uti et corpore et spiritu sancta sit, nupta uero
sollicita est, quomodo coniugi suo placeat*[m]. Ceterum

---

27. bonum non est AN : non est bonum XR non bonum est F ‖ 28. probor *scripsi* : ploro *codd.* R ‖ quod *om.* θR ‖ 29. habet *om.* A ‖ 31 sinceritate sua *tr.* N ‖ 34. alia : lia A ‖ proferuntur A ‖ superiorum *Scaliger* : su-
perior *codd.* R ‖ 35. infimorum AX infirmorum NFR ‖ 36. quia malum
non est : *om.* A ‖ nec *om.* θR ‖ 37. antecedet θR ‖ 38-39. sed—obest *om.* N
‖ 38. namque A : item quod β : item qui R itaque R ‖ 39. malle : male A
‖ 40. locum : letum N ‖ 41. solatium secundus *tr.* N ‖ 42. ascultamus N ‖
et *om.* θR ‖ 43. meliora N ‖ donatiuorum A : dampnationum NF damna-
tionum X donationum R ‖ 44. sumus F ‖ sic A : si θR ‖ etsi *om.* θR ‖
45. quid : quod X ‖ 46. et[1] *om.* θR ‖

---

h. Cf. Phil. 1, 21
i. Cf. I Cor. 9, 24
j. Phil. 3, 13

Je peux l'affirmer : ce qui est l'objet d'une permission n'est pas un bien. Comment cela ? Je suis dans la nécessité de mourir ; si je remporte l'épreuve, la mort m'est un bien[h] ; si je la redoute... Le fait qu'une chose soit permise comporte un doute sur les motifs de cette permission. En revanche, ce qui est meilleur, personne n'a eu à le permettre, car c'est un bien indubitable, dont la bonté sans mélange est manifeste.

5. Ce n'est pas une raison pour les désirer, si certaines choses ne sont pas interdites — pourtant, d'une certaine manière, elles sont comme frappées d'interdiction, puisque d'autres leur sont préférées ; préférer ce qui est meilleur, c'est, en effet, condamner ce qui est moins bon — une chose n'est pas bonne du fait qu'elle n'est pas mauvaise ; elle n'est pas non plus indemne de tout mal, du fait qu'elle ne cause pas de dommage. Mais une chose parfaitement bonne se distingue en ceci, que non seulement elle ne cause aucun dommage, mais de surcroît procure un avantage. Ainsi tu dois préférer ce qui procure un avantage plutôt que ce qui ne cause aucun dommage.

6. Dans toute compétition l'on s'efforce de remporter la première place[i] ; le second a un prix de consolation, il n'a pas la victoire. Si nous écoutons l'Apôtre, « oubliant le chemin parcouru, allons droit de l'avant[j], cherchons à obtenir les plus belles récompenses[k] ». De même, sans nous tendre de piège[l], il nous montre où se trouve notre intérêt quand il dit : « La femme qui n'est pas mariée a souci des affaires du Seigneur afin d'être sainte de corps et d'esprit. Celle qui est mariée, au contraire, s'inquiète des moyens de plaire à son mari[m] ». Du reste, nulle part l'Apôtre ne permet le mariage

k. I Cor. 12, 31
l. I Cor. 7, 35
m. I Cor. 7, 34

nusquam ita nuptias permittit, ut non potius ad
suum exemplum nos eniti malit. Felicem[n] illum, qui
50 Pauli similis extiterit.

IV, 1. Sed *carnem* legimus *infirmam* et hinc nobis
adulamur impensius. Legimus tamen et *spiritum
firmum*[a]. Nam in uno sensu utrumque positum est.
Caro terrena materia est, spiritus uero caelestis[b].
5 Cur ergo ad excusationem proniores, quae in nobis
infirma sunt opponimus, quae uero fortia non tuemur ?
Cur caelestibus terrena non cedant ?

2. Si spiritus carne fortior, quia et generosior, nostra
culpa infirmiorem sectamur. Nam disiunctis a matri-
10 monio duae species humanae imbecillitatis necessarias
nuptias faciunt. Prima quidem et potentissima, quae
uenit de concupiscentia carnis[c], sequens de concupiscentia saeculi. Sed utraque repudianda est a seruis
Dei[d], qui et luxuriae et ambitioni renuntiamus.

15 3. Carnis concupiscentia aetatis officia defendit,
decoris messem requirit, gaudet de contumelia sua :
dicit uirum necessarium sexui, uel auctoritatis et
solatii causa, uel ut a malis rumoribus tuta sit. Et
tu aduersus consilia haec eius adhibe sororum nos-

IV. 2. impensius (ut pensius X) θR : in quibusdam A ‖ 5. cur : cum N ‖
6. infirma AR : infirmata NXR infirmata est F ‖ fortia A : fortiora θR ‖
7. cedent N ‖ 8. quia : quae N ‖ 9. infirmiorem A : infirmiores NXR
infamores F infirmiora R ‖ a *om.* θR ‖ 11-12. quidem ⟨concupiscentia⟩[a] A
‖ 11. et *om.* θR ‖ 12. de : ex A ‖ 12-13. carnis—concupiscentia *om.* A ‖
14. qui et : quia F ‖ 17. uel *Kroy.* : ut *codd.* R ‖ 18. causam A ‖ uel ut βR :
uelud N : uelit ut A

---

n. Cf. I Cor. 7, 7, 40
IV, a. Matth. 26, 41

sans manifester en même temps qu'il préfère nous voir résolus à suivre son exemple. Heureux[n] celui qui pourra devenir semblable à Paul !

IV, 1. Mais nous lisons que la chair est faible, et cela nous sert de prétexte pour être plus complaisants à l'égard de nous-mêmes. Nous lisons pourtant aussi que l'esprit est fort[a]. Les deux affirmations se trouvent, en effet, dans la même sentence. La chair est une substance terrestre, mais l'esprit une substance céleste[b]. Pourquoi donc, trop enclins à chercher des excuses, alléguons-nous ce qu'il y a en nous de faible, au lieu de considérer ce qu'il y a en nous de fort ? Pourquoi ce qui est terrestre ne se soumet-il pas à ce qui est céleste ?

2. Si l'esprit est plus fort que la chair, car il est de plus noble origine, c'est notre faute si nous nous attachons à la partie la plus faible.

Pour ceux dont le lien conjugal a été rompu, deux variétés de la faiblesse humaine rendent le mariage nécessaire. La première, qui est aussi la plus forte, vient de la concupiscence[c] de la chair, la seconde de la concupiscence du siècle. Mais nous devons les rejeter l'une et l'autre, nous les serviteurs de Dieu[d], qui renonçons au plaisir charnel et à la vaine gloire.

3. La concupiscence de la chair allègue pour sa défense les obligations de l'âge ; elle aspire à cueillir les fruits de la beauté ; elle se glorifie de ce qui fait son déshonneur ; un mari, dit-elle, est indispensable à la femme, pour être son garant et son réconfort, ou pour la mettre à l'abri des on-dit malveillants. Pour toi, tu repousseras ses arguments, en

b. Cf. I Cor. 15, 40-47
c. Cf. I Jn 2, 16
d. Cf. Tite 2, 12

20 trarum exempla, quarum nomina[e] penes Dominum,
quae nullam formae uel aetatis occasionem, permissis
maritis, sanctitati anteponunt.

4. Malunt enim Deo nubere. Deo speciosae, Deo
sunt puellae. Cum illo uiuunt, cum illo sermocinantur,
25 illum diebus et noctibus tractant[f]. Orationes suas
uelut dotes Domino assignant, ab eodem dignationem
uelut munera maritalia, quotienscumque desiderant,
consequuntur. Sic aeternum sibi bonum, donum Domini,
occupauerunt, ac iam in terris, non nubendo, de familia
30 angelica deputantur.

5. Talium exemplis feminarum ad aemulationem
te continentiae exercens, spiritali affectione carnalem
illam concupiscentiam humabis, temporalia et uola-
tica desideria formae uel aetatis immortalium bonorum
35 compensatione delendo.

6. Ceterum saecularis concupiscentia causas habet
gloriam, cupiditatem, ambitionem, insufficientiam, per
quas necessitatem nubendi subornat, uidelicet caelestia repromittens : dominari in aliena familia[g], alienis
40 opibus incubare, cultum de alieno extorquere, sumptum
quem non sentias, caedere.

---

21. formae R : formam *codd.* R ‖ permissis *de Labriolle* : praemissis
codd. R ‖ 22. sanctitatem R ‖ 26. assignat X ‖ 27. maritalia R : dotalia
A ‖ 28. aeternum : et non N ‖ donum *om.* θR ‖ 29. hac A ‖ 30. deputen-
tur N ‖ 32. te *om.* N ‖ spiritalia AX ‖ affectionem A ‖ 33. humanis A ‖
34. uel : ut A ‖ immortalium A : inimicantium θR ‖ 35. compensatione
delendo A : compensas (compensans R[a.3]) delenda θR ‖ 36. ⟨haec⟩ saecularis A ‖ 38. suborna N ‖ 39. ⟨in⟩ alienis θR ‖ 40. opibus : operibus N
‖ incubare A : incumbere θR ‖ torquere F ‖ 41. caedere A : cedere in
te θR

évoquant l'exemple de nos sœurs, dont Dieu connaît les noms[e] ; à toutes les occasions de mariage que pourraient leur procurer la beauté ou la fleur de l'âge, alors qu'elles pourraient prendre un mari, elles préfèrent une vie chaste.

4. Elles préfèrent, en effet, épouser Dieu. C'est pour Dieu qu'elles sont belles, c'est pour Dieu qu'elles sont jeunes. C'est avec Lui qu'elles vivent, c'est avec Lui qu'elles s'entretiennent ; c'est de Lui seul qu'elles s'occupent jour et nuit[f]. Pour dot, elles apportent au Seigneur leurs prières ; en retour, elles obtiennent ses faveurs, pour cadeau de noces, autant de fois qu'elles le désirent. Ainsi elles sont entrées en possession des biens éternels, des dons du Seigneur et dès à présent, sur cette terre, du fait qu'elles renoncent au mariage, elles appartiennent à la famille des anges.

5. Suis l'exemple de ces femmes, applique-toi à imiter leur continence ; grâce à ton amour des biens spirituels, tu enseveliras la concupiscence de la chair ; tu détruiras les désirs éphémères et volages qui viennent de la beauté ou de la jeunesse, pour recevoir en échange les biens immortels.

6. Par ailleurs, la concupiscence du siècle allègue pour motifs le prestige, la cupidité, la vaine gloire, l'insuffisance des ressources ; elle en joue habilement pour prouver la nécessité d'un remariage et, bien entendu, elle promet en retour des récompenses vraiment célestes : régner en maître[g] sur la domesticité d'autrui, se reposer sur la fortune d'autrui soutirer à autrui les frais de sa toilette, dépenser outrageusement sans qu'il ne t'en coûte rien.

---

e. Cf. Phil. 4, 3
f. Cf. I Tim. 5, 5
g. Cf. I Tim. 5, 4

7. Haec procul a fidelibus, quibus nulla cura tole-
randae uitae, nisi si diffidimus de promissis Dei, qui
lilia agri[h] tanta gratia uestit, qui uolatilia caeli[i] nulla
45 ipsorum labore pascit, qui prohibet de crastino uictu
uestituque curare[j], spondens scire se quid cuique
seruorum suorum opus sit[k], non quidem monilium
pondera, non uestium taedia, non Gallicos mulos,
nec Germanicos baiulos, quae nuptiarum gloriam
50 accendunt, sed sufficientiam[l], quae modestiae et pudi-
citiae apta est.

8. Praesume, oro te, nihil tibi opus esse, si Domino
appareas, immo omnia habere[m], si habeas Dominum,
cuius omnia. Caelestia recogita, et terrena despicies.
55 Nihil uiduitati apud Deum subsignatae necessarium
est quam perseuerare.

V, 1. Adiciunt quidem sibi homines causas nuptiarum de sollicitudine posteritatis et liberorum ama-
rissima uoluptate. Nobis otiosum est. Nam quid gestiamus liberos serere, quos cum habeamus, prae-
5 mittere optamus, respectu scilicet imminentium angus-
tiarum, cupidi et ipsi iniquissimo isto saeculo eximi

---

43. diffidimus R[2.3] : difidimus A diffidemus θR[1] ‖ dei ⟨et cura et proui-
dentia⟩ θR ‖ 44. agri tanta gratia A : agrestia θR ‖ uestit ANR : uescit X
nesciit F ‖ 45. pasci N ‖ 45-46. uictu uestituque A : uictuque θR ‖
46. curare spondens A : curari respondens θR ‖ 48. gallicos mulos R[1]
mg : calligos multos A gallicos uultus NFR gallicos multos uultus X
‖ 50. accedunt A ‖ sufficientia AXR ‖ 52. praesummete A ‖ esse AR : est
θR ‖ 54. cogita X ‖ et : quia X ‖ dispecies A
V. 1. quidem om. F : quidam X ‖ 3. nobis otiosum est A : sed id quoque
penes nos odiosum est θR ‖ 4. libros X ‖ serere NXR : gerere A scire F ‖
5. scilicet ⟨et⟩A ‖ 6. eximi : enim X excuti F ‖

---

h. Matth. 6, 28
i. Matth. 6, 26

7. Loin de nous, chrétiens, de semblables calculs, car nous ne nous inquiétons nullement des moyens dont nous soutiendrons notre vie, à moins de nous défier des promesses de Dieu, qui revêt les lys des champs[h] de tant de grâce, nourrit les oiseaux du ciel[i] sans travail de leur part et nous interdit de nous tourmenter[j] de la nourriture et du vêtement du lendemain, nous assurant qu'il connaît[k] les besoins de chacun de ses serviteurs ; ce ne sont pas, il est vrai, des pendentifs pesants, des vêtements importuns, des mules gauloises, des porteurs germains, tout ce faste qui augmente le prestige d'un mariage, mais la simplicité[l], car elle est la compagne de l'humilité et de la chasteté.

8. Tu peux être sûre d'avance, crois-moi, que tu n'as besoin de rien, si tu es au service du Seigneur, ou plutôt que tu possèdes tout[m], si tu possèdes le Seigneur, à qui tout appartient. Médite sur les biens du ciel, et tu mépriseras ceux de la terre. Le veuvage consacré à Dieu ne connaît d'autre nécessité que de persévérer.

V, 1. Parmi les motifs invoqués pour justifier le mariage, on invoque aussi, il est vrai, ceux qui se fondent sur la préoccupation d'avoir une descendance et sur les joies, pourtant si amères, que procurent les enfants. Pour nous, ces motifs sont sans valeur. En effet, à quoi bon désirer mettre au monde des enfants, que nous souhaitons voir nous précéder dans la tombe, dès que nous les avons — en considération, bien sûr, des épreuves angoissantes qui menacent —, impatients que nous sommes nous-mêmes d'être délivrés de ce monde

j. Cf. Matth. 6, 31
k. Cf. Matth. 6, 32
l. Cf. I Tim. 6, 6-8
m. I Chr. 29, 10 ; II Cor. 6, 10

et recipi ad Dominum, quod etiam apostolo[a] uotum
fuit.

Nimirum necessaria suboles seruo Dei. 2. Satis
10 enim de salute nostra securi sumus, ut liberis uacemus.
Quaerenda nobis onera sunt, quae etiam a gentilium plerisque uitantur, quae legibus coguntur, quae
parricidiis expugnantur, nobis demum plurimum impor-
tuna, quantum fidei periculosa. Cur enim Dominus :
15 *Vae praegnantibus et nutricantibus*[b], cecinit, nisi quia
filiorum impedimenta testatur in illa die expeditionis
incommodum futura ? Ea utique nuptiis imputantur,
istud autem ad uiduas non pertinebit.

3. Ad primam angeli tubam[c] expeditae prosilient,
20 quamcumque pressuram persecutionemque libere per-
ferent, nulla in utero, nulla in uberibus aestuante sarcina
nuptiarum. Igitur, siue carnis, siue saeculi, siue posteritatis gratia nubitur, nihil ex istis necessitatibus
competit Dei seruis, ut non satis habeam[d] semel
25 alicui earum succubuisse et uno matrimonio omnem
concupiscentiam huiusmodi expiasse. Nubamus quotidie et nubentes a die illo timoris deprehendamur,
ut Sodoma et Gomorra. 4. Nam illic non utique nuptias

---

7. ad : apud A ‖ uotum : notum F ‖ 9. soboles θR ‖ 10. de salute A : de-
sunt NXR desinit F ‖ 12. plerisque A : profanis NX prophanis FR ‖ legibus : legis X ‖ coguntur R² : coluntur A locuntur θR¹ locantur R³ ‖ 13. demum A : quidem θR ‖ 15. nutricantibus AR : nutriantibus β nutrientibus
N ‖ 17. incommodum AR : incomodum X in eo modum F incommoda N
‖ ea *om.* θR ‖ nuptiis *Rig.* : nuptias *codd.* R ‖ imputantur A : imputatu-
rus NFR in putaturus X ‖ 18. istud A : tum NR cum F tu X ‖ 20. perfe-
rent : perferrent N perferunt F ‖ 21. nullam... nullam... sarcinam θ ‖ 23.
gratiarum X ‖ nubitur A : nubebit θ nubet R ‖ 24. competit *om.* θR ‖ habeam : habeant F ‖ 25. alicui AR : alicubi NF alcubi X ‖ 26. concupis-
centiae A ‖ 27. a : ad X ‖ timoris *om.* θR ‖ 28. Sodomae A

pervers et d'être reçus auprès du Seigneur, selon aussi le vœu de l'Apôtre[a] ?

Apparemment un serviteur de Dieu a besoin d'une progéniture ! 2. Nous sommes, en effet, assez sûrs de notre salut pour nous occuper d'enfants ! Nous devons assumer des charges que beaucoup de païens évitent, que les lois cherchent à imposer, dont on se débarrasse par le meurtre, des charges, enfin, qui constituent pour nous une gêne intolérable, à la mesure du danger qu'elles représentent pour la foi. Pourquoi, en effet, le Seigneur a-t-il proclamé : Malheur à celles qui seront enceintes et qui allaiteront[b] ? Ne veut-il pas indiquer par là qu'au jour du grand départ les embarras occasionnés par les enfants constitueront un désavantage ? Le mariage comporte ces embarras, évidemment, mais les veuves ne connaîtront pas ce désavantage.

3. Au premier son de la trompette[c] de l'ange, elles s'élanceront, libres de tout bagage, prêtes à supporter toutes les épreuves, toutes les persécutions, car aucun des fardeaux du mariage ne les alourdira, ni aux entrailles ni à la mamelle.

Ainsi donc, que l'on se marie pour des motifs qui ont en vue la chair, le siècle, ou le désir d'une descendance, aucune de ces prétendues nécessités ne s'applique aux serviteurs de Dieu. Ne me suffit-il pas[d] d'avoir succombé une fois pour toutes à l'une ou à l'autre d'entre elles et d'avoir assouvi dans un mariage unique toute concupiscence de cet ordre ?

Eh bien ! soit ! marions-nous tous les jours et laissons-nous surprendre en pleines noces par [1]e jour de l'épouvante, comme Sodome et Gomorrhe. 4. En ces lieux, il est vrai, on ne se

---

V, a. Cf. II Cor. 5, 8 ; Phil. 1, 23
b. Matth. 24, 19 ; Lc 21, 23 ; Mc 13, 17
c. Cf. Matth. 24, 31 ; I Cor. 15, 52 ; I Thess. 4, 16
d. Cf. I Pierre 4, 3

et mercimonia solummodo agebant, sed cum dicit :
30 *Nubebant et emebant*[e], insigniora ipsa carnis et saeculi
uitia denotat, quae a diuinis disciplinis plurimum
auocent, alterum per lasciuiendi uoluptatem, alterum
per adquirendi cupiditatem. Et tamen illa tunc caecitas
longe a finibus saeculi habebatur. Quid ergo fiet,
35 si quae olim detestabilia sunt penes Deum ?... Ab
iis nunc nos arceat ! *Tempus*, inquit, *in collecto est,
superest, ut qui matrimonia habent tamquam non habentes
agant*[f].

VI, 1. Quodsi hi qui habent obliterare debent
quod habent, quanto magis non habentes prohibentur
repetere quod non habent. Vt cuius maritus de rebus
abiit, exinde requiem sexui suo nubendi abstinentia
5 iniungat, quam pleraeque gentilium feminarum memo-
riae carissimorum maritorum parentant.

Cum quid difficile uidetur, difficiliora alios obeuntes
recenseamus. 2. Quot enim sunt, qui statim a lauacro
carnem suam obsignant ? Quot item, qui consensu
10 pari[a] inter se matrimonii debitum tollunt, uoluntarii
spadones[b] pro cupiditate regni caelestis ? Quodsi
saluo matrimonio abstinentia toleratur, quanto magis
adempto ? Credo enim difficilius saluum derelinqui,
quam amissum non desiderari.

---

30. ipsa *om.* A ‖ 31. denotat A : detinentes θR[1.2] definit R[3] ‖ 32.
auocet β ‖ 33. cupiditatem A : uoluntatem θR ‖ tamen A : enim θR ‖
35. deum A : dominum βR : *om.* N ‖ 36. iis A : his NFR hiis X ‖ nos
nunc *tr.* NFR ‖ nos : uos X ‖ arcet F ‖ 37. ut : et X ‖ 38-VI, 2. agant—non
habentes *om.* F

VI. 1. hi qui *om.* NXR ‖ habent : habentes R[2.3] ‖ 3. rebus : re A ‖ 4.
abiit R[2.3] : habiit A habuit θR[1] ‖ requiem A : quietem θR ‖ 6. maritorum
om. F ‖ parentant : AN : parcant FR parceant X ‖ 7. alios : altos X ‖
8-9. quot NR : quod AFX (*bis*) ‖ 10-11. uoluntarii spadones A : uol. iis
spad.bus θR ‖ 11. regni *om.* θR ‖ caelestis AF : caelesti NXR ‖ quodsi

contentait pas de conclure des mariages et des marchés, mais quand l'Écriture dit : Ils se mariaient et ils commerçaient[d], elle dénonce précisément les vices les plus voyants de la chair et du siècle, ceux qui éloignent le plus des commandements de Dieu, l'un par le plaisir de la volupté, l'autre par le désir de posséder. Et pourtant cet aveuglement se plaçait à une époque éloignée de la fin du monde ! Mais qu'adviendra-t-il donc, si les vices qui, depuis toujours, sont en abomination devant Dieu... ? Qu'Il nous en détourne maintenant ; le temps e t limité, dit l'Écriture. Reste donc que ceux qui sont mariés vivent comme s'ils ne l'étaient pas[f].

VI, 1. Si ceux qui ne sont pas mariés doivent effacer ce qu'ils ont, combien plus ceux qui ne sont pas mariés doivent[l]-ils s'interdire de rechercher ce qu'ils n'ont plus. Dès que son mari aura quitté cette vie la femme imposera silence à ses instincts, en renonçant à se remarier, à l'instar de bien des païennes, qui offrent leur continence en sacrifice, pour honorer la mémoire d'un époux très cher.

Lorsqu'une chose nous paraît difficile, considérons les difficultés plus grandes que les autres affrontent. 2. Combien, en effet, dès l'instant de leur baptême imposent à leur chair le sceau de la chasteté ? Combien aussi, d'un commun accord[a], suppriment les relations conjugales, ayant choisi d'être eunuques[b] par amour du royaume des cieux ? Si l'on observe la continence tout en étant marié, combien plus doit-on le faire quand on ne l'est plus ? Je pense, en effet, qu'il est plus difficile de renoncer à un bien que l'on possède encore que de ne plus désirer un bien que l'on a perdu.

---

om. θR ‖ 13. adempto : ademptor F ademptos X ‖ derelinquendi N ‖ 14. admissum N

e. Cf. Lc 17, 27-28
f. I Cor. 7, 29
VI, a. Cf. I Cor. 7, 5
b. Cf. Matth. 19, 12

15   3. Durum plane et arduum satis continentia sanctae
feminae post uiri excessum Dei causa, cum gentiles
satanae suo et uirginitatis et uiduitatis sacerdotia
perferant. Romae quidem quae ignis illius inextinguibilis[c] imaginem tractant, auspicia poenae suae
20 cum ipso dracone[d] curantes, de uirginitate censentur.

4. Achaicae Iunoni apud Aegium oppidum uirgo
sortitur, et quae Delphis insaniunt nubere nesciunt.
Ceterum uiduas Africanae Cereri adsistere scimus,
durissima quidem obliuione a matrimonio allectas.
25 Nam manentibus in uita uiris non modo toro decedunt,
sed et alias eis, utique ridentibus, loco suo insinuant ;
adempto omni contactu, usque ad osculum filiorum
et tamen, durante usu, perseuerant in tali uiduitatis
disciplina, quae pietatis etiam sancta solatia excludit.

30   5. Haec diabolus suis praecipit, et auditur. Prouocat
nimirum Dei seruos continentia suorum quasi ex aequo :
continent etiam gehennae sacerdotes. Nam inuenit,
quomodo homines etiam in boni sectationibus perderet, et nihil apud eum refert, alios luxuria alios
35 continentia occidere.

---

15. planeetardum A ‖ 8. sanctae AN : sancta βGR ‖ 16. feminae A α
R³ : femina βR¹·² ‖ 18. romae : non ita X ‖ 19. imaginent N ‖ auspicia :
auspici A auspicie X ‖ 20. dracone curantes *om.* A ‖ 21. Achaicae *Kroy.* :
achaie A accaeae N acce β aceae R¹ acheae R²·³ ‖ iunoni AXR : unioni
N minoni F ‖ egeum A agium F ‖ 23. uiduas : induos F ‖ 24. a *om.* θR ‖
25. in uita A : in aeternum θR ‖ toro *om.* A : choro F ‖ 27. oscula N ‖
29. sancta F : sanctae ANXR ‖ 30. suis *om.* θR ‖ praecipit : praecepit A ‖
auditor X ‖ prouocant A ‖ 32. continent etiam A : continentiam θR³
continentium R¹·² ‖ sacerdotem θR ‖ 33. boni R : bonis *codd.* R ‖ perderet
AR : proderet β proderit N ‖ 34. eum : cum X

3. Pénible situation, assurément, et passablement difficile pour une sainte femme, que de pratiquer la continence, par amour pour Dieu, après la mort de son mari, quand les païennes, pour leur Satan, acceptent des sacerdoces réservés aux vierges et aux veuves. A Rome, par exemple, celles qui sont chargées d'entretenir l'image du feu qui ne s'éteindra jamais[c], veillant ainsi surl e signe annonciateur du châtiment qu'elles subiront avec l'antique Dragon[d], sont choisies parmi les vierges.

4. Pour le culte de la Junon Achéenne près de la ville d'Aegium, c'est une vierge que le sort désigne et les femmes qui vaticinent à Delphes ignorent le mariage. Du reste nous savons que des « veuves » sont au service de la Cérès africaine : elles sont choisies pour avoir très strictement oublié le mariage. En effet, du vivant même de leur mari, non seulement elles abandonnent le lit conjugal, mais elles y introduisent à leur place d'autres épouses, à la plus grande joie des maris, cela va sans dire. Elles s'interdisent tout contact, y compris les baisers de leurs fils et cependant, tant que durent leurs fonctions, elles observent cette discipline d'un veuvage qui rejette les consolations les plus chastes, celles même de la tendresse.

5. Tels sont les ordres que le Diable intime à ses fidèles, et il se fait obéir. Nul doute, il provoque les serviteurs de Dieu par la continence des siens, à armes égales, pour ainsi dire : même les prêtres de la géhenne observent la continence. Satan, vraiment a trouvé le moyen de perdre les hommes, lors même qu'ils recherchent le bien, et peu lui importe qu'il détruise les uns par la luxure, les autres par la continence.

---

c. Cf. Matth. 3, 12
d. Apoc. 12, 9 ; 20, 2

VII, 1. Nobis continentia ad instrumentum aeter-
nitatis demonstrata est a Domino, salutis Deo, ad
testimonium fidei, ad commendationem carnis istius
exhibendae superuenturo indumento incorruptibi'ita-
5 tis[a], ad sustinendam nouissime uoluntatem Dei. Super
haec enim recogites, moneo, neminem non ex Dei
uoluntate de saeculo educi, si ne folium quidem ex
arbore sine Dei uoluntate[b] delabitur.

2. Idem qui nos mundo infert, idem et educat necesse
10 est. Igitur defuncto per Dei uoluntatem uiro etiam
matrimonium Dei uoluntate defungitur. Quid tu
restaures cui finem Deus posuit ? Quid libertatem
oblatam tibi iterata matrimonii seruitute fastidis ?
Obligatus es[c], inquit, *matrimonio : ne quaesieris solu-*
15 *tionem ; solutus es matrimonio : ne quaesieris obligationem.*

3. Nam etsi *non delinquas*[d] renubendo, *carnis* tamen
pressuram subsequi dicit. Quare facultatem continentiae, quantum possumus, diligamus ; quam primum obuenerit, inbibamus, ut quod in matrimonio
20 non ualuimus, in uiduitate sectemur. Amplectenda
occasio est, quae adimit quod necessitas imperabat.

4. Quantum detrahant fidei, quantum obstrepant
sanctitati nuptiae secundae, disciplina ecclesiae et

VII. 1. strumentum θR ‖ 2. deo *om.* A ‖ 3. carnis : canis X ‖ 6. non
om. θR[1] : nisi R[2,3] ‖ 7. educi A : duci θR ‖ si ne A : si nec XR sed nec
FN ‖ 8. delabitur A : dilabitur θR ‖ 9. deducat N ‖ 10. uiro *om.* θR ‖
11. defungitur : disiungitur N ‖ 13. oblatam A : collatam θR ‖ fastidis
NFR : fatidis A fastidiis X ‖ 14. es *om.* N ‖ 14-15. ne quaesieris — matrimonio *om.* βR[1,2] ‖ 14. solutionem AN : absolutionem R[3]G ‖ 15. solutus
A : absolutus NR[3]G ‖ ne quaesieris NR : neque sieris A neque fieris X
neque fieres F ‖ 18. non diligamus ? θR ‖ 20. ualuimus A : ualemus θR ‖
21. adimit A : ademit θR ‖ 22. detrahant : dethauit F ‖ fidei *om.* βR ‖
fidei detrahant *tr.* R[3]G ‖ opstrepant A ‖ 23. secundum F ‖ disciplinae
θR[1,2] ‖ et *om.* θR[1,2]

VII. 1. Quant à nous, le Seigneur, Dieu du salut, nous a révélé que la continence est un moyen de parvenir à la vie éternelle, de prouver notre foi, de préparer notre chair pour le jour où elle se présentera afin de revêtir le vêtement d'incorruptibilité[a], de nous soumettre, enfin, à la volonté de Dieu. A cet égard, en effet, je t'engage à bien réfléchir à ceci : personne ne quitte cette vie à moins que Dieu ne le veuille, s'il est vrai que même une feuille[b] ne tombe de l'arbre à moins que Dieu ne le veuille.

2. Celui qui nous fait entrer dans le monde, c'est Lui aussi, nécessairement, qui nous en fait sortir. Par conséquent, si ton mari est mort, de par la volonté de Dieu, ton mariage aussi meurt, par la volonté de Dieu. Pourquoi voudrais-tu rétablir ce à quoi Dieu a imposé un terme ? Pourquoi méprises-tu la liberté qui t'est offerte, en t'engageant une nouvelle fois dans la servitude du mariage ? Es-tu lié par le mariage, ne cherche pas à le rompre[c], dit l'Écriture ; es-tu libre, du mariage, ne cherche pas à être lié.

3. Car, bien que tu ne pèches pas en te remariant, cependant les épreuves de la chair suivront aussitôt[d], dit l'Écriture c'est pourquoi attachons-nous, de toutes nos forces, à l'occasion qui nous est offerte de pratiquer la continence ; dès qu'elle se présente, saisissons-la, afin d'observer dans notre veuvage ce que nous n'avons pas eu le courage de pratiquer dans notre mariage. Nous devons accueillir avec empressement l'occasion qui abolit les contraintes qu'imposait la nécessité.

4. Combien les secondes noces appauvrissent la foi, quel obstacle elles sont pour la sainteté, la discipline de l'Église

---

VII, a. Cf. I Cor. 15, 53
b. Cf. Matth. 10, 29
c. I Cor. 7, 27
d. Cf. I Cor. 7, 28

praescriptio apostoli declarat, cum digamos[e] non
25 sinit praesidere, cum uiduam[f] adlegi in ordinem nisi
uniuiram non concedit. Aram enim Dei mundam[g]
proponi oportet. Tota illa ecclesiae candida de sanctitate
describitur.

5. Sacerdotium uiduitatis et caelibat⟨u⟩um est apud
30 nationes, pro diaboli scilicet aemulatione. Regem
saeculi, pontificem maximum, rursus nubere nefas
est. Quantum Deo sanctitas placet, cum illam etiam
inimicus affectat, non utique ut alicuius boni affinis,
sed ut Dei Domini placita cum contumelia affectans.

VIII, 1. Nam de uiduitatis honoribus apud Deum
uno dicto eius per prophetam expeditum : *Iuste*[a]
facite uiduae et pupillo, et uenite, disputemus, dicit
Dominus. Duo ista nomina, in quantum destituta
5 auxilio humano, in tantum diuinae misericordiae
exposita, suscipit tueri pater omnium. Vide, quam
ex aequo habetur qui uiduae benefecerit, quanti est
uidua ipsa, cuius assertor cum Domino disputabit.
Non tantum uirginibus datum, opinor.

10 2. Licet in illis integritas solida et tota sanctitas
de proximo[b] uisura sit faciem Dei, tamen uidua habet

---

25. sinit : sunt X ‖ adlegi *Rig.* : allegi θR ade A ‖ ordinem A : ordina-
tionem θR ‖ 26. concedit : concedat A ‖ munda N ‖ 27. ecclesiae AN :
ecclesia βR ‖ 28. describitur : conscribitur A ‖ 29. caelibatuum *Stephan* :
caelibatium A caelibatum NF cebatum X celebratum R ‖ 32. illam
AR[2.3] : illum θR[1] ‖ 33. inimicus AR[2.3] : illumθR[1] ‖ 33. inimicus AR[2.3] :
inimicum θR[1] ‖ ut : ad A
VIII. 1. uiduitatis A : uid.um θR ‖ deum A : dominum θR ‖ 2. dicto :
dictu θ ‖ expeditum ⟨est⟩ A ‖ 3. facite R[3] : facito *codd.* R[1.2] ‖ disputemus :
disp. amus β ‖ 4-5. destituta auxilio A : de spe qui θR[1] : despectui R[2.3] ‖
6. suscipit A : suscepit θR ‖ 7. benefecerit : benedicitur N benefecit R ‖
quantis β ‖ 8. cum domino A : dominus θR ‖ disputabit AR[2.3] : dispu-
tauit θR[1] ‖ 9. uirginibus θR : uirginis A ‖ 11. usura β

et le précepte de l'Apôtre le montrent, puisqu'ils interdisent aux hommes remariés[e] de devenir chefs d'église et ne permettent de recevoir dans l'ordre des veuves[f] que des femmes mariées une seule fois. L'autel de Dieu, en effet, doit être dressé sans tache[g]. Toute cette dignité de l'Église se recrute parmi les adeptes de la chasteté.

5. Chez les païens aussi on trouve un clergé de veufs et de célibataires, dû, naturellement, à la rivalité de Satan. Le roi du monde, le Grand Pontife n'a pas le droit de se marier une deuxième fois. Qu'elle est agréable à Dieu la chasteté, puisque son adversaire aussi l'ambitionne ! Ce n'est point, assurément, qu'il ait quelque affinité pour le bien mais, pour l'outrager, il ambitionne ce qui plaît au Seigneur notre Dieu.

VIII. 1. Quant aux honneurs que Dieu réserve au veuvage, il suffit de citer cette seule parole de Lui, qu'Il a révélée par la bouche du prophète : Agissez avec justice avec la veuve et l'orphelin, puis venez et discutons ensemble[a], dit le Seigneur. Ces deux états, dans la mesure où ils sont dépourvus de tout appui humain, sont abandonnés à la miséricorde de Dieu et le Père de toutes choses assume leur protection. Vois comment est placé sur un pied d'égalité avec Lui le bienfaiteur de la veuve, de quelle estime jouit la veuve elle-même, dont le défenseur discutera avec le Seigneur. Les vierges ne sont pas l'objet d'un pareil honneur, que je sache.

2. Bien que leur parfaite intégrité et leur chasteté sans défaillance destinent celles-ci à contempler de tout près la face de Dieu[b], cependant la veuve possède quelque chose

---

e. Cf. I Tim. 3, 2, 12 ; Tite 1, 6
f. Cf. I Tim. 5, 9
g. Cf. I Cor. 3, 16-17
VIII, a. Is. 1, 17-18
b. Cf. Matth. 18, 10 ; Apoc. 14, 3-4 ; I Cor. 13, 12

aliquid operosius, quia facile est non appetere quod
nescias et auersari quod desideraueris numquam.
Gloriosior continentia quae ius suum sentit, quae
15 quid uiderit nouit.

3. Poterit uirgo felicior haberi, at uidua laborosior :
illa, quod bonum semper habuit, ista, quod bonum
sibi inuenit. In illa gratia, in ista uirtus[c] coronatur.
Quaedam enim sunt diuinae liberalitatis, quaedam
20 nostrae operationis. Quae a Domino indulgentur,
sua gratia gubernantur ; quae ab homine captantur,
studio perpetrantur. Stude igitur ad uirtutem continentiae modestiae, quae pudori procurat, sedulitati,
quae uagas non facit, frugalitati, quae saeculum sper-
25 nit.

4. Conuictus atque colloquia Deo digna sectare,
memor illius uersiculi sanctificati per apostolum :
Bonos corrumpunt mores congressus mali[d]. Loquaces[e],
otiosae, uinosae, curiosae contubernales uel maxime
30 proposito uiduitatis officiunt. Per loquacitatem ingerunt uerba pudoris inimica, per otium a seueritate
deducunt, per uinolentiam quiduis mali insinuant,
per curiositatem aemulationem libidinis conuehunt.

---

13. auersari AR : aduersari θ ∥ desideraueris θR : desideres A ∥ 16. at
AR : aut θ ∥ 17. ista ANR : ita β ∥ 18. ⟨eo⟩ coronatur F ∥ 21. quae—
captantur *om. A* ∥ 23. modestiae *om.* A ∥ quae : quod X ∥ procurat NFR :
procurrat X procupat A ∥ sedulitati R : sedhutilitati A sed utilitati θ
∥ 24. uagas : uacas A nugas θR ∥ 26. conuictus atque colloquia A : conuic-
tum atque commercia θR ∥ 27. sanctificatum X ∥ 28. male β ∥ 29. otiosae :
odiose N ∥ contubernalis X ∥ 29-30. maxime proposito R : maximi propo-
siti *codd.* ∥ 30. officiunt R : officium AFX offitium N ∥ 30-31. per loq.
—inimica *om.* A ∥ 31. a *om.* θR ∥ 31-32. seueritate deducunt : seueritatem
decludunt N securitatem inducunt GR[3] ∥ 32. uinolentiam : uinulentiam
A uiolentiam NX ∥ quiduis : quid X ∥ 33. curiositatem A : curiositatis
θR ∥ libidinis A ; libidines θR

qui lui a coûté plus de peine, car il est facile de ne pas convoiter ce que l'on ignore et de tourner le dos à ce que l'on ne saurait regretter. Mais une gloire plus belle s'attache à la continence qui connaît son droit, qui sait ce qu'elle a vu.

3. On pourra considérer comme plus heureuse la condition de la vierge mais celle de la veuve suppose un plus rude effort, car la première a toujours été en possession du bien, mais la deuxième a découvert le bien pour son propre compte. Chez l'une c'est la grâce qui se trouve couronnée[c], chez l'autre la vertu. Certains biens, en effet, nous viennent de la bonté généreuse de Dieu, d'autres résultent de nos propres efforts. Ceux que le Seigneur nous accorde sont gouvernés par sa grâce, ceux que l'homme parvient à obtenir sont gagnés au prix de ses efforts.

Pour acquérir la vertu de la continence, efforce-toi donc à l'humilité, qui est la servante de la chasteté, au travail consciencieux, qui prévient l'oisiveté, à la tempérance, qui méprise le siècle.

4. Recherche les relations et les conversations dignes de Dieu, te souvenant de cette sentence, sanctifiée par l'Apôtre : les mauvaises fréquentations corrompent les bonnes mœurs[d]. Des compagnes bavardes, oisives, adonnées au vin, indiscrètes[e], constituent le plus grand obstacle au dessein qui doit être celui d'une veuve. Par leur bavardage elles instillent des paroles qui assaillent la pudeur, par leur oisiveté elles détournent de toute occupation sérieuse, par leur ivrognerie elles livrent accès à tous les désordres, par leur indiscrétion elles excitent la convoitise des plaisirs sensuels.

---

c. Cf. II Tim. 2, 5
d. I Cor. 15, 33
e. Cf. I Tim. 5, 13

5. Nulla huiusmodi feminarum de bono uniuiratus
35 loqui nouit. *Deus¹ enim illis*, ut ait apostolus, *uenter
est*, ita et quae uentri propinqua. Haec tibi iam hinc
commendo, conserua carissima, post apostolum quidem
ex abundanti retractata, sed tibi etiam solatio futura,
quod meam memoriam, si ita euenerit, in illis fre-
40 quentabis.

---

36. quae : qui β ‖ 38. ex : et X ‖ retractata NFR : pertracta A *om*. X
‖ Ad uxorem liber I. Explicit. Incipit liber II. Feliciter A : Tertulliani ad
uxorem liber primus explicit. Incipit secundus N Explicit liber primus
ad uxorem. Incipit liber secundus ad uxorem F Q. Septimii Florentis
Tertuliani incipit liber secundus ad uxorem X

5. Aucune femme de cette espèce ne peut parler en bien de la monogamie. Comme dit l'Apôtre, leur dieu c'est le ventre[1], et aussi tout ce qui est près du ventre.

Voici, très chère compagne, les recommandations que je te fais dès à présent, superflues, assurément, après celles de l'Apôtre, mais susceptibles de t'apporter quelque réconfort, car en elles, s'il doit en advenir ainsi, tu retrouveras mon souvenir.

LIBER SECVNDVS

I, 1. Proxime tibi, dilectissima in Domino conserua,
quid feminae sanctae matrimonio quacumque sorte
adempto sectandum sit, ut potui, prosecutus sum.
Nunc ad secunda consilia conuertamur, respectu
5 humanae infirmitatis, quarumdam exemplis admonentibus, quae diuortio uel mariti excessu oblata
continentiae occasione non modo abiecerint oppor-
tunitatem tanti boni, sed ne in nubendo quidem disciplinae meminisse uoluerunt, ut in Domino[a] potissimum
10 nuberent.

2. Itaque mihi confusus est animus, ne qui nuper
te ad uniuiratus et uiduitatis perseuerantiam hor-
tatus sim, nunc mentione nuptiarum procliuium tibi
labendi ab altioribus faciam. Quod si integre sapis,
15 certe scis istud seruandum tibi esse, quod sit utilius.
Quod uero difficile est et non sine necessitatibus hoc
maxime propositum uitae subresedi.

3. Nec mihi de isto quoque referendi ad te causae
fuissent, nisi grauiorem in eas sollicitudinem compre-

I. 2. quid AR : quod θ ǁ 4. respectui β ǁ 5. humanaeius firmitatis A ǁ
quarumdam AN : quorundam θR ǁ 6. quae : qui X ǁ 7. abiecerint A
abiecerunt θR ǁ 8. quidem A : quidem rursum θR ǁ 9. potissime N ǁ 11.
qui : quae X ǁ 11-12. te nuper *tr.* θR ǁ 13. sim ANX : sum FR ǁ nunc
θR : non A ǁ mentionem A ǁ procliuium A : procliuum θR ǁ 14. labendi ab
altioribus θR : cauendi ablationem A ǁ sapis θR : satis A ǁ 15. certe scis
R[3] : certe A certes θR[1.2] ǁ istud : id R[3] ǁ tibi : ibi A ǁ utilius : uri melius
N ǁ 16. hoc *Rig.* : et hoc *codd.* R ǁ 17. maxime *Kroy.* : maximum *codd.* R ǁ

LIVRE II

I. 1. Tout récemment, très chère compagne dans le service du Seigneur, je t'ai décrit, comme je l'ai pu, la règle de conduite que devrait suivre une chrétienne, quand son mariage a pris fin, pour quelque raison que ce soit. Tournons-nous maintenant vers une seconde série de recommandations, en tenant compte de l'humaine faiblesse, mis en garde par l'exemple de certaines femmes : alors que le divorce ou la mort de leur mari leur donnait l'occasion d'observer la continence, non seulement elles ont rejeté l'avantage d'un si grand bien, mais elles n'ont pas voulu non plus, en se remariant, se souvenir du précepte qui les obligeait à se marier dans le Seigneur[a], de préférence.

2. Aussi dois-je avouer mon embarras : t'ayant naguère recommandé de persévérer dans le mariage unique et le veuvage, je crains, en te parlant à présent de remariage, de te faire courir le risque de tomber de haut. Si tu raisonnes correctement, tu sais certainement que tu dois observer le genre de vie qui est pour toi le plus avantageux. Mais parce que c'est là entre tous le dessein difficile de toute une vie et qui ne va pas sans contraintes, je m'y suis arrêté.

3. Et je n'aurais eu aucune raison de te faire part aussi de cette affaire, si je n'avais éprouvé à l'égard de ces femmes

subresedi A : supremi (suppremi θ) presidii θR ‖ 19. in eas *Stephan* : in ea A in eam N meam βR

I, a. Cf. I Cor. 7, 39

20 hendissem. Nam quanto grandis est continentia carnis,
quae uiduitati ministrat, tanto, si non sustineatur,
ignoscibilis uideri potest. Difficilium enim facilis
est tunc uenia. Quanto autem nubere in Domino per-
petrabile est, uti nostrae potestatis, tanto culpa-
25 bilius est non obseruare quod possis.

4. Eo accedit, quod apostolus de uiduis quidem
et innuptis, ut ita permaneant, suadet, cum dicit :
Cupio autem omnes meo exemplo perseuerare[b], de nubendo
uero in Domino, cum adicit : *tantum in Domino*[c], iam
30 non suadet sed exerte iubet. Igitur, in ista maxime
specie, nisi obsequimur, periclitamur ; quia suasum
impune quis neglegat, ⟨num⟩quam iussum, quod
illud de consilio ueniat et uoluntati proponatur, hoc
autem de potestate descendat et necessitati obligetur,
35 illic libertas, hic contumacia delinquere uideatur.

II, 1. Igitur cum quaedam istis diebus nuptias suas
de ecclesia tolleret ac gentili coniungeretur idque ab
aliis retro factum recordarer, miratus aut ipsarum
petulantiam aut consiliariorum praeuaricationem, quod
5 nulla scriptura eius facti licentiam profert, numquid,
inquam, de illo capitulo sibi blandiuntur primae ad
Corinthios, ubi scriptum est[a] : *Si quis fratrum infi-*

---

21. uiduitati A : uiduitatem θR ‖ 22. ignoscibilis θR : ignoscibile A
‖ 23. tunc *om.* θR ‖ 24. potestatis AR : posteritatis θ ‖ 26. accedit NFR :
accidit AX ‖ 27. innuptis *Pam.* : innupti A nuptis θR ‖ 28-29. cupio—
adicit *om.* N ‖ 28. meo AR[3] : ex eo βR[1,2] ‖ 29. adicit A : dicit βR ‖ 31.
obsequimur *Rig.* : obsequium A hoc sequimur θR ‖ periclitatur A ‖ 32.
impone A ‖ quis neglegat A : quid negligas θR ‖ numquam *scripsi* : quam
codd. R ‖ 34. necessitati A : necessitate θR ‖ 35. derelinquere A

II. 1. quaedam : quae X ‖ 2. ac A : idest θR ‖ 3. retro : petro A ‖ recordarer NR : recordaret X reordaret F *om.* A ‖ 4. consiliorum A ‖ 5. facti
AR[3] : factam θR[1,2] ‖ profert A : proferent θ proferret R ‖ 7. fratrum *Rig.* ;
fratrem A frater θR

une inquiétude des plus graves. En effet, plus sublime est l'idéal de la continence charnelle, servante du veuvage, plus excusable peut paraître qu'on ne réussisse pas à l'assumer. Car aux choses difficiles, facile ensuite est l'indulgence. Mais plus il est facile de se marier dans le Seigneur, puisque cela ne dépend que de nous, plus nous sommes coupables de ne point observer ce précepte, alors que nous le pouvons.

4. A cela s'ajoute que, s'adressant aux veuves et aux femmes non mariées, l'Apôtre leur donne le conseil de demeurer dans l'état où elles sont : Je souhaite que tous persévèrent à mon exemple[b], dit-il ; en revanche, à propos du mariage dans le Seigneur, quand il précise : seulement dans le Seigneur[c], ce n'est plus un conseil qu'il donne, mais un ordre clair et net. En conséquence, sur ce point très précisément, si nous refusons d'obéir, nous courons le danger de nous perdre, car on peut impunément ne point tenir compte d'un conseil, jamais d'un ordre : c'est que le premier dérive d'un simple avis et est proposé à notre libre choix, mais l'autre émane d'une autorité et impose une obligation. Dans le premier cas, nous apparaissons coupables d'indépendance, dans le second, de rébellion.

II, 1. Donc, comme ces jours-ci une chrétienne dérobait son mariage à l'Église pour s'unir à un païen, me souvenant que d'autres, antérieurement, avaient agi de même, stupéfait soit de leur audace, soit de la mauvaise foi de leurs conseillers, car aucun texte dans l'Écriture n'autorise une telle conduite, je dis : « Se peut-il qu'ils se flattent de la justifier à partir du passage de la Première aux Corinthiens, où il est écrit : Si un frère a une femme non croyante et que celle-ci consente

---

b. I Cor. 7, 7
c. I Cor. 7, 39

delem habet uxorem et illa matrimonio consentit, ne
dimittat eam ; similiter mulier fidelis infideli nupta,
10 *si consentaneum maritum experitur, ne dimiserit eum ;*
sanctificatur enim infidelis uir a fideli uxore et infidelis
uxor a fideli marito ; ceterum immundi essent filii
uestri ?

2. Hanc monitionem fors de fidelibus iunctis simpli-
15 citer intellegendo putent etiam infidelibus nubere
licere. Qui ita interpretatur, absit ut sciens se cir-
cumscribat. Ceterum manifestum est scripturam istam
eos fideles designare, qui in matrimonio gentili inuenti
a Dei gratia fuerint. Secundum uerba ipsa : *Si quis,*
20 inquit, *fidelis uxorem habet*[b] *infidelem* — non dicit :
uxorem ducit infidelem — ostendit iam in matrimonio agentem mulieris infidelis, mox gratia Dei
conuersum, perseuerare cum uxore debere, scilicet
propterea, ne qui fidem consecutus putaret sibi diuer-
25 tendum esse ab aliena iam et extranea quodammodo
femina.

3. Adeo et rationem subicit : *in pace nos uocari*
a Domino[c] et posse infidelem a fideli per usum matrimonii lucrifieri[d]. Ipsa etiam clausula hoc ita intelle-
30 gendum esse confirmat : *Vt quisque,* ait, *uocatur a*
Domino, ita perseueret[e]. Vocantur autem gentiles,

---

10. consentaneum AR[3] : consentanea θR[1,2] ‖ 14. monitionem R[3] : mentionem A motionem NFR[1,2] mocionem X ‖ fors : foris N ‖ de *om.* θR ‖
iunctis A : iniunctis θR[3] inuinctis R[1,2] ‖ 15. intellegendo A : intellegen-
dum X intelligendum NFR ‖ 16. licere *om.* F ‖ interpretatur A : interpre-
tantur R ‖ 19. fuerint A : fuerunt R ‖ si : sed F ‖ 21, ducit AR[2,3] : duci
θR[1] ‖ 22. agente N ‖ dei gratia *tr* N ‖ 23 conuersum AR conuersus :
θ ‖ deberet A ‖ 24. diuertendum A : euertendum θ deuertendum R ‖ 28.
a domino : ad dominum deum A

à maintenir le mariage, qu'il ne la renvoie pas ; de même, une chrétienne mariée à un non croyant, si elle constate que son mari est consentant, qu'elle ne le renvoie pas, car le mari non croyant est sanctifié par l'épouse chrétienne et la femme non croyante par le mari chrétien ; s'il en allait autrement, vos enfants seraient impurs[a] » ?

2. Comprenant littéralement cette recommandation donnée à des chrétiens mariés, on pense peut-être qu'il est permis aussi aux chrétiens de se marier avec des non chrétiens. Que celui qui retient cette interprétation, prenne garde de ne point se tromper en connaissance de cause. Car enfin l'Écriture, à cet endroit, désigne de toute évidence les croyants que la grâce de Dieu a rencontrés alors qu'ils se trouvaient déjà mariés avec des païens. Selon les termes mêmes : Si un croyant a une femme non croyante[b], — il ne dit pas : s'il prend pour femme une non croyante — l'Apôtre montre clairement qu'un homme engagé dans les liens du mariage avec une femme païenne, puis converti par la grâce de Dieu, doit continuer à vivre avec elle, et cela, assurément, pour éviter que celui qui a embrassé la foi se croie obligé de se séparer d'une femme de religion différente et, en quelque sorte, étrangère.

3. Tant il est vrai que l'Apôtre précise aussi le motif de son précepte : le Seigneur Dieu nous appelle à vivre dans la paix[c] ; il se peut aussi que la vie conjugale permette au conjoint croyant de gagner[d] à la foi le conjoint non croyant. Précisément la conclusion confirme à son tour que c'est bien ainsi qu'il faut le comprendre : Que chacun demeure dans la condition où l'a saisi l'appel du Seigneur[e], dit-il. Or, ce

b. I Cor. 7, 12
c. I Cor. 7, 15
d. Cf. I Cor. 7, 16 ; I Pierre 3, 2
e. I Cor. 7, 17

opinor, non fideles. Quodsi de fideli ante matrimonium pronuntiasset, absolute permiserat sanctis uulgo
nubere. Si uero permiserat, numquam tam diuersam
35 atque contrariam permissui suo pronuntiationem subdi-
disset, dicens : *Mulier defuncto uiro libera est* ; *cui
uult nubat, tantum in Domino*[f].

4. Hic certe nihil retractandum est. Nam de quo
retractari potuisset, apostolus cecinit. Ne quod ait :
40 *cui uelit nubat*, male uteremur, adiecit : *tantum in
Domino*[g], id est in nomine Domini, quod est indubitate
Christiano. Ille igitur apostolus sanctus, qui uiduas et
innuptas[h] integritati perseuerare mauult, qui nos
ad exemplum sui hortatur[i], nullam aliam formam
45 repetundarum nuptiarum nisi in Domino praescribit,
huic soli condicioni continentiae detrimenta concedit.
Tantum, inquit, *in Domino*[j] : adiecit pondus legi suae.

5. *Tantum* : ⟨quo⟩quo sono et modo enuntiaueris
dictum istud, onerosum est ; et iubet et suadet et
50 praecipit et hortatur et rogat et comminatur. Destricta
et expedita sententia est et ipsa sui breuitate facunda.

---

32. de fideli : delium A ‖ ante matrimonium θR : tantum matrimonio A ‖
34. uero AN : uere βR ‖ 38. tractandum A ‖ de quo A : de eo quod θR ‖
39. tractari XR ‖ apostolus R[3] : xps A : sps θR[1.2] ‖ 40. uellit A ‖ adicat N
‖ 42. apostolus sanctus R[3] : scs xps A scs sps θR[2.1] ‖ 42-43. et innuptas
A : innuptas βR nuptias N ‖ 44. ortatur A ‖ 45. rependarum NF ‖ 46.
conditioni AN ‖ 47. adiecit AR[2.3] : abiecit θR[1] ‖ legi suae AR[3] : legis
suae βR[1.2] suae legi N ‖ 48. quoquo *Hoppe* : quos *codd.* R ‖ enunctiantis X ‖
49. onerosum AR[3] : et onerosum βR[1.2] et honerosum N ‖ 50. et[1] *om.* A
‖ et rogat : ergo et rogat A ‖ comminiatur A ‖ 50-51. destricta et expedita
Rig. : districte expeditae A detractata et experta (exerta R[3]) θR ‖ 51.
et ex ipsa N ‖ facunda AX : fecunda NFR

sont les païens qui sont appelés, si je ne m'abuse, et non point les chrétiens. Si l'Apôtre avait eu en vue un chrétien, avant son mariage, il aurait permis aux chrétiens, d'une manière générale, de se marier avec qui bon leur semble. Mais si vraiment il l'avait permis, jamais il n'aurait assorti sa permission d'une précision aussi divergente, et même contradictoire, en disant : La femme, à la mort de son mari, est libre de se marier avec qui elle veut ; seulement, que ce soit dans le Seigneur[f].

4. Ici, assurément, point de prétexte à discussion, car sur le point précis qui aurait pu être discuté, l'Apôtre s'est prononcé. Pour nous éviter d'utiliser à tort les paroles qu'il vient de dire : Qu'elle se marie avec qui elle veut, il a ajouté : seulement dans le Seigneur[g], c'est-à-dire au nom du Seigneur, ce qui signifie, à n'en pas douter, avec un chrétien.

Ainsi donc le saint Apôtre, qui préfère que les veuves et les femmes non mariées persévèrent dans la chasteté[h] et qui nous encourage à suivre son exemple[i], ne formule aucune autre règle relative au remariage sinon qu'il faut le conclure dans le Seigneur ; c'est à cette seule condition qu'il permet de porter atteinte à la continence. Seulement dans le Seigneur[j], dit-il ; il a conféré à son commandement tout son poids.

5. « Seulement » : peu importent le ton et la manière dont tu prononceras ce mot ; il pèse lourd : il ordonne, il conseille, il commande, il exhorte, il requiert, il menace. C'est une sentence tranchante et ramassée, éloquente, par sa concision même.

---

f. I Cor. 7, 39
g. *ibid.*
h. Cf. I Cor. 7, 8
i. Cf. I Cor. 7, 7
j. I Cor. 7, 39

6. Sic solet diuina uox, ut statim intellegas, statim obserues. Quis enim non intellegere possit multa pericula et uulnera fidei in huiusmodi nuptiis, quas
55 prohibet, apostolum prouidisse et primo quidem carnis sanctae in carne gentili inquinamentum[k] praecauisse ?

7. Hoc loco dicet aliquis : quid ergo refert inter eum, qui in matrimonio gentili[l] a Domino allegitur, et olim id est ante nuptias fidelem, ut non proinde
60 carni suae caueant, cum alter a nuptiis infidelis arceatur, alter in eis perseuerare[m] iubeatur ? Cur, si a gentili inquinamur, non et ille diiungitur, quemadmodum iste non obligatur ?

8. Respondebo, si spiritus dederit, ante omnia
65 allegans Dominum magis ratum habere matrimonium non contrahi quam omnino disiungi ; denique diuortium[n] prohibet, nisi stupri causa, continentiam[o] uero commendat. Habet igitur ille perseuerandi necessitatem, hic porro etiam non nubendi potestatem.

70 9. Tunc, si secundum scripturam qui in matrimonio gentili a fide deprehenduntur[p], propterea non inqui-

---

52. uox ut A : uxor θR ‖ intellegas statim *om.* θR ‖ 53. non *om.* θR ‖ multam X ‖ 53-54. pericula multa *tr.* θR ‖ 55. apostolum A : apostolus θR ‖ 57. dicet R : dicit *codd.* R ‖ 58. eum AR : eam θ ‖ gentili A : gentilis θR ‖ 59. idest : idem N : *om.* F ‖ nuptia A ‖ preinde A ‖ 60. carnis X ‖ cum *om.* θR ‖ alter a nuptiis infidelis arceatur A : aliter (alter R) arceatur a nuptiis infidelis θR ‖ 61. alter AR : aliter θ ‖ eis A : his θR ‖ iubeatur A : uideatur θR ‖ 62. et ille NFR : et illi X ille A ‖ diiungitur A : disiungitur θR ‖ 65. dominum AR : dominam θ ‖ magis ratum R : magistratum AF magratum N ingratum X ‖ 67. stupri : strupi A ‖ 68. habet : habeat A ‖ illi X ‖ 71. gentili A : gentilis θR ‖ affide A ‖ deprehendentur A ‖ propterea A : erunt ac propterea θR ac propterea R

---

k. Cf. II Cor. 7, 1 ; I Cor. 6, 15-20

6. Telle est bien la manière de la parole divine, afin que nous la comprenions d'emblée, que nous lui obéissions aussitôt. Qui, en effet, ne serait en mesure de comprendre que les dangers et les atteintes innombrables à la foi, liés aux mariages de ce genre, qu'il interdit, l'Apôtre[k] les a prévus et que d'abord, assurément, il a voulu empêcher qu'une chair sanctifiée ne soit souillée avec une chair païenne ?

7. A cet endroit quelqu'un objectera : « Mais quelle différence y a-t-il donc entre celui qui, déjà marié à une païenne[l], est appelé par le Seigneur et un chrétien de longue date, c'est-à-dire dès avant son mariage, pour qu'ils n'aient pas à se garder pareillement en leur corps, puisque l'un se voit interdire d'épouser une païenne et que l'autre est tenu de persévérer dans une telle union[m] ? Si nous sommes souillés du fait des païens, pourquoi celui-ci ne se sépare-t-il pas, tout comme celui-là s'abstient de s'engager dans une telle union ?

8. Je vais répondre, avec l'aide de l'Esprit, et je ferai valoir avant tout qu'aux yeux du Seigneur il vaut mieux ne pas contracter un mariage plutôt que de le rompre ; de fait, le Seigneur interdit le divorce[n], sauf en cas d'adultère, mais il recommande la continence[o]. Par conséquent, le premier se trouve dans la nécessité de persévérer dans son état, tandis que l'autre n'a même pas la possibilité de se marier.

9. Dès lors, si, comme l'enseigne l'Écriture, ceux que la foi saisit[p] durant leur mariage avec un païen sont exempts de souillure, pour la raison que, conjointement à la leur, s'effec-

---

l. Cf. I Cor. 7, 10
m. *ibid.*
n. Cf. Matth. 5, 32 ; 19, 9
o. Cf. Matth. 19, 12
p. Cf. I Cor. 7, 17

nantur, quia cum ipsis alii quoque sanctificantur[q],
sine dubio isti, qui ante nuptias sanctificati sunt, si
extraneae carni commisceantur, sanctificare eam non
75 possunt, in qua non sunt deprehensi. Dei autem gratia
illud sanctificat quod inuenit. Ita quod sanctificari
non potuit, immundum est ; quod immundum est,
cum sancto non habet partem, nisi ut de suo inquinet et
occidat.

III, 1. Haec si ita sunt, fideles gentilium matrimonia
subeuntes stupri reos constat esse et arcendos ab
omni communicatione fraternitatis, ex litteris apostoli
dicentis *cum eiusmodi ne cibum quidem sumendum*[a].
5 Aut numquid tabulas nuptiales die illo[b] apud tribunal[c]
Domini proferemus et matrimonium rite contractum
allegabimus, quod uetuit ipse ? Non adulterium est,
quod prohibitum est, non stuprum est ? Extranei
hominis admissio minus templum Dei uiolat[d] ? minus
10 membra Christi cum membris adulterae commiscet[e] ?
Quod sciam, non sumus nostri, sed pretio empti[f].
Empti ? Et quali pretio ? Sanguine Dei. Laedentes
igitur carnem istam, eum laedimus de proximo.

2. Quid sibi uoluit ille, qui dixit delictum quidem
15 esse extraneo nubere, sed minimum, cum alias — sepo-

---

72. quia *om.* θR ‖ 73. sine dubio AβR : sane N ‖ 74. extranii X
‖ eam : ea N ‖ 74-75. non possunt in qua *om.* θR ‖ 75. sunt : sint R ‖
autem *om.* N ‖ 77. immundum est¹ *om.* N ‖ quod immundum est *om.* A
III. 1. haec : et hoc F ‖ si ita sunt *Oehler* : tria sunt *codd.* R¹·² : cum ita
sint R³ ‖ 2. constat esse N : constat se A esse constat βR ‖ 3-4. ex litteris—dicentis *om.* N ‖ 4. ne cibum quidem A : nec cibum θR ‖ 5. aut A :
at NFR : ad X ‖ die illo *Rig.* : de illo θR dillo A ‖ 6. matrimonium rite
contractum *om.* A ‖ 7. alligabimus NX ‖ uetuit : ueniat F ‖ 8. prohibitum
est A : prohibetur θR ‖ stuprum : stripum A ‖ 11. sciam βR : sciat X
om. N ‖ nostri sed : nostris et A ‖ 11-12. empti empti A : empti θR ‖ 12. et
laedentes N ‖ 14. quid : quod X ‖ uoluit : uolunt A ‖ ille : illi X ‖ 15. minimum : nimium X ‖ seposita A : deposita NFR disposita X

tue aussi la sanctification des conjoints[q], il ne fait pas de doute que ceux dont la sanctification s'est opérée dès avant le mariage, s'ils viennent à s'unir charnellement avec un « étranger », ne peuvent sanctifier une chair dans laquelle la foi ne les a pas saisis. La grâce de Dieu sanctifie ce qu'elle rencontre. Ainsi ce qui n'a pu être sanctifié demeure impur ; ce qui est impur n'a rien de commun avec ce qui est saint, sinon qu'il lui communique son impureté et lui donne la mort.

III, 1. Dans ces conditions, il est établi que les chrétiens qui contractent mariage avec des païens sont coupables de fornication et doivent être écartés de toute participation avec la fraternité chrétienne, comme il ressort de la lettre de l'Apôtre, selon laquelle nous devons nous abstenir même de prendre nos repas[a] avec des gens de cette espèce. Ou bien alors présenterons-nous notre contrat de mariage devant le tribunal du Seigneur[b] au jour du jugement[c] et allèguerons-nous que notre mariage, que Dieu interdit, a été conclu en bonne et due forme ? N'est-ce pas un adultère, ce qui est interdit, n'est-ce pas une fornication ? Quand on s'unit à un « étranger », est-ce qu'on ne profane pas aussi le temple de Dieu[d] ? est-ce qu'on ne mêle pas aussi les membres du Christ et ceux de l'adultère[e] ? Nous ne nous appartenons plus, que je sache, mais nous avons été achetés à ce grand prix[f]. Achetés ? Et à quel prix ? Avec le sang de Dieu. Par conséquent, quand nous infligeons une blessure à notre chair, c'est à Dieu lui-même que nous l'infligeons, directement.

2. Que voulait dire cet homme, selon lequel se marier avec un païen était une faute, assurément, mais sans aucune

---

q. Cf. I Cor. 7, 14
III, a. I Cor. 5, 11
b. Cf. II Cor. 5, 10 ; Rom. 14, 10
c. Cf. Matth. 24, 36
d. Cf. I Cor. 3, 16-17
e. Cf. I Cor. 6, 15 ; I Pierre 1, 19
f. Cf. I Cor. 6, 19-20

sita carnis iniuria ad Dominum pertinentis — omne delictum[g] uoluntarium in Dominum grande est ? Quanto enim potestas uitandi fuit, tanto contumaciae crimine oneratur.

20 3. Recenseamus nunc cetera pericula aut uulnera, ut dixi, fidei ab apostolo prouisa, non carni tantum, uerum etiam et ipsi spiritui molestissima. Quis enim dubitet obliterari quotidie fidem commercio infideli ? *Bonos corrumpunt, mores confabulationes mala*[h]. Quanto magis 25 conuictus et indiuiduus usus. Quaeuis mulier fidelis Deum obseruet necesse est.

4. Et quomodo potest duobus[i] dominis seruire, Domino et marito, adde gentili ? Gentilem enim obseruando gentilia exhibebit : formam, extructionem, mun- 30 ditias saeculares, blanditias turpiores ; ipsa etiam matrimonii secreta maculosa, non ut penes sanctos officia sexus cum honore ipsius necessitatis tamquam sub oculis[j] Dei modeste et moderate transiguntur.

IV, 1. Sed uiderit qualiter uiro officia pendat, Domino certe non potest pro disciplina satisfacere, habens in latere diaboli seruum, procuratorem domini sui ad

---

17. dominum A : domino θR ‖ 19. crimine AX : crimen NFR ‖ 20. aut A : θR ‖ 21. dixi AR³ : dixit θR¹·³ ‖ carni A : carnis θR ‖ 22. etiam et A : etiam θR ‖ ipsi spiritui A : ipsius spiritus NFR ipius sps X ‖ molestissimam X ‖ 23. obliterare X ‖ 24. more N ‖ 25. magis *om.* N ‖ ⟨et⟩ conuictus A ‖ 26. deum A : dominum θR ‖ 27. seruire A : deseruire θR ‖ 28. adde ANR : at de β ‖ gentili : gentibus X ‖ 29. gentilia θR : gentili A ‖ exhibebit : obseruabit N ‖ 30. matrimonia A ‖ 33. modeste ⟨est⟩ A ‖ transigantur A

IV. 1. uiro AR²·³ : uir θR¹ ‖ 3. diaboli AR : diabolus β dyabolus N ‖

---

g. Cf. Nombr. 15, 30-31
h. I Cor. 15, 33

gravité, alors que, sans même parler du dommage causé
à une chair qui appartient au Seigneur, toute faute commise
de propos délibéré[g] contre le Seigneur est grave ? En effet,
plus il était facile de l'éviter, plus est grave la culpabilité
de l'obstination rebelle.

3. Énumérons à présent les autres dangers et atteintes
à la foi prévus, comme je l'ai dit, par l'Apôtre et qui causent
un dommage considérable non seulement à la chair mais encore
à l'esprit lui-même. Qui, en effet, doutera que la foi s'étiole
de jour en jour dans les relations avec les païens ? Les mauvaises conversations corrompent les bonnes mœurs[h]. A plus
forte raison une vie en commun et une familiarité de tous
les instants.
Toute chrétienne a le devoir de se régler sur la volonté de
Dieu.

4. Mais comment pourrait-elle servir deux maîtres[i], le
Seigneur et son mari, païen de surcroît ? Si elle se règle sur
la volonté d'un païen, elle fera étalage des valeurs païennes :
beauté, toilettes, élégance mondaine, caresses sans retenue.
Quant aux secrets de l'intimité conjugale, ils deviendront une
occasion de souillure, à la différence de ce qui se passe chez
les chrétiens, qui accomplissent les fonctions du sexe comme
un devoir respectable et nécessaire, avec pudeur et retenue,
dans la pensée que l'on s'en acquitte sous le regard de Dieu[j].

IV. 1. Mais peu importe la manière dont elle remplira
ses devoirs envers son mari ; certainement elle ne peut satisfaire au Seigneur conformément à la discipline, puisque
s'attache à son flanc un serviteur du Diable, chargé pour
le compte de son maître d'entraver les efforts et les devoirs

---

i. Cf. Matth. 6, 24 ; Lc 16, 13
j. Cf. Prov. 15, 3 ; Eccl. 34, 19 ; etc.

impedienda fidelium studia et officia, ut si statio
5 facienda est, maritus de die condicat ad balneas, si
ieiunia obseruanda sint, maritus eadem die conuiuium
exerceat, si procedendum erit, numquam magis fami-
liae occupatio obueniat.

2. Quis autem sinat coniugem suam uisitandorum
10 fratrum gratia uicatim aliena et quidem pauperiora
quaeque tuguria circuire ? Quis nocturnis conuocationibus, si ita oportuerit, a latere suo adimi libenter
feret ? Quis denique sollemnibus Paschae abnoctantem
securus sustinebit ? Quis ad conuiuium[a] dominicum
15 illud, quod infamant, sine sua suspicione dimittet ?
Quis in carcerem ad osculanda uincula martyris reptare
patietur ? 3. Iam uero alicui fratrum ad osculum
conuenire, aquam sanctorum pedibus offerre[b], de
cibo, de poculo inuadere, desiderare, in mente habere ?
20 Si pereger frater adueniat[c], quod in aliena domo
hospitium ? Si cui largiendum erit, horreum, proma
praeclusa sunt.

V, 1. Sed aliquis sustinet nostra nec obstrepit.
Hoc est igitur delictum, quod gentiles nostra nouerunt,
quod sub conscientia[a] iniustorum sumus, quod beneficium eorum est, si quid operamur. Non potest nescire

---

4. et AR : ut θ ‖ 5. condicat θR : concaedat A ‖ 6. sint AN : sunt βR ‖
7. exerceat : faciat N ‖ 8. obueniat A : adueniat θR ‖ 9. autem : enim
NXR ‖ 10. uiatim A ‖ 11. tuguria ⟨quaeque⟩ X ‖ circuire : circumire N ‖
12. adimi A : eximi θR ‖ 13. abnoctantem ANR : obnoctantem X
adnoctantem F ‖ 15. dimittet AR[2,3] : dimittit θR[1] ‖ 18. uenire X ‖
⟨et⟩ de (poculo) N ‖ 19. habere NR : haberi Aβ ‖ 20. pereger A : et peregre
NFR et perige X ‖ ueniat X ‖ 21. proma : poma βR

V. 1. aliquis A : aliqui θR ‖ sustinet A : sustinent βR substinent N ‖
obstrepit A : obstrepunt NFR obstrepent X ‖ 3. conscientiam X ‖ iniustorum A : iustorum θR[1] istorum R[2,3] ‖ beneficium AR[3] : beneficiorum
βR[1,2] benefitiorum N ‖ 4. nescire A : edicere scire NF edicere X se dicere
nescire R

des chrétiens, de sorte que s'il faut faire une station, le mari décide que, ce jour-là, on ira aux bains ; s'il faut observer un jeûne, le mari ordonne un banquet pour le même jour ; s'il faut sortir, jamaisd es tâches ne s'imposent autant aux esclaves.

2. Qui donc permettrait à sa femme de parcourir tous les quartiers de la ville pour visiter nos frères et d'entrer chez les autres, et qui plus est, dans tous les taudis ? Qui acceptera de gaîté de cœur qu'elle le délaisse pour se rendre à des réunions nocturnes, si tel est son devoir ? Qui donc supportera sans inquiétude qu'elle passe la nuit entière hors de la maison pour les fêtes de Pâques ? Qui, sans nourrir de soupçons, la laissera aller au Repas du Seigneur[a], objet de propos infamants ? Qui souffrira qu'elle se glisse en rampant dans les prisons, pour baiser les chaînes d'un martyr ? 3. Ou encore qu'elle s'approche de l'un de nos frères, pour lui donner le baiser de paix, qu'elle apporte de l'eau pour laver les pieds des saints[b], qu'elle prenne de la nourriture ou de la boisson, qu'elle en demande ou même qu'elle y songe ? Si un frère, venant de loin, se présente, quel accueil trouvera-t-il dans la maison d'un « étranger » ? Si un pauvre a besoin de secours, la réserve, le cellier se trouvent fermés.

V, 1. Mais, dit-on, un tel ou un tel accepte nos usages et n'y fait point obstacle. Mais alors la faute réside précisément en ce que des païens ont connaissance de nos usages, que nous sommes de connivence avec des pécheurs[a], que la moindre de nos actions représente une faveur de leur part. On ne peut maintenir dans l'ignorance un mari qui se montre

IV, a. Cf. I Cor. 11, 20
b. Cf. I Tim. 5, 10
c. *ibid.*
V, a Cf. I Cor. 10, 27

5 qui sustinet, aut si celatur, quia non sustinet, timetur.
Cum autem scriptura utrumque mandet, et *sine alterius
conscientia*[b] et *sine nostra pressura*[c] operari Domino,
nihil interest in qua parte delinquas, aut in conscientiam
mariti, si sit patiens, aut in conflictationem tui, dum
10 uitatur impatiens.

2. *Nolite*, inquit, *margaritas uestras porcis iactare,
ne conculcent eas et conuersi uos quoque euertant*[d].
Margaritae uestrae sunt etiam quotidianae conuer-
sationis insignia. Quanto curaueris ea occultare, tanto
15 suspectiora feceris et magis captanda gentili curiositati.

3. Latebisme tu, cum lectulum, cum corpusculum tuum
signas, cum aliquid immundum flatu explodis, cum
etiam per noctem exurgis oratum ? Et non magiae aliquid uideberis operari ? Non sciet maritus quid secreto
20 ante omnem cibum gustes ? Et si sciuerit panem,
non illum credet esse, qui dicitur ?

4. Et haec ignorans quisque rationem simpliciter sustinebit sine gemitu, sine suspicione panis an ueneni ?
Sustinent quidam, sed ut inculcent, ut inludant huius-
25 modi feminis, quarum arcana in periculum, quod cre-
dunt, reseruent, si forte laedantur sustinent*(es)*, qua-

---

6. mandet : manet F ‖ 7. conscientiam A ‖ ⟨alterius⟩ pressura N ‖ 8.
conscientia R ‖ 9. ⟨ut⟩ patiens θR ‖ aut *om*. θR[1,2] ‖ 11. margaritas uestras A : margarita uestra θR ‖ 12. ne : nec F *om*. A ‖ eas *Rig.* ea *codd.* R
‖ 13. margaritae uestrae A : margarita uestra θR ‖ etiam *om*. θR ‖ quo-
tidiane A : cottidiana N quottidiana X quotidiana F cottidiana R ‖ 15.
captanda *Rig.* : castanda A cavenda βR cauendo N ‖ 16. lectulum cum
om. A ‖ 17. flatu θR : flatis A ‖ explodis A : expuis θR ‖ 18. nocte N ‖
aliquid *om*. N ‖ 19. uideberis AR[3] : uideris θR[1,2] ‖ 20. gestes F ‖ seuirit
F ‖ 21. credet *Kroy.* : credit *codd.* R ‖ qui : quae X ‖ 24. quidam AF : quidem NXR ‖ 26. reseruent A : seruent θR ‖ . laedantur *om*. X ‖ laedan-
tur⟨ipsi⟩ θR ‖ sustinentes *Kroy.* : sustinent *codd.* R ‖ obiectione FR[3] :
obiectionem ANXR[1,2] ‖ nominis : domini A

---

b. I Cor. 10, 29

tolérant ou bien, si l'on se cache de lui, parce qu'il n'est pas tolérant, on est réduit à le craindre. Mais étant donné que l'Écriture nous demande de servir le Seigneur, à la fois sans être de connivence avec autrui[b] et sans anxiété de notre part[c], peu importe la manière dont tu te rends coupable, soit en entrant en connivence avec ton mari, s'il tolère nos usages, soit en te débattant dans l'anxiété, si tu évites ton mari qui ne les tolère pas.

2. Ne jetez pas vos perles aux pourceaux[d], dit l'Écriture, de peur qu'ils ne les foulent aux pieds et, se retournant contre vous, ne vous renversent à votre tour. Vos perles, ce sont aussi les marques distinctives de la vie quotidienne. Plus tu te mettras en peine à les tenir cachées, plus tu les rendras suspectes et plus tu exciteras la curiosité des païens à les surprendre.

3. Pourras-tu vraiment échapper aux regards, quand tu fais le signe de la croix sur ton lit ou sur ta personne, quand tu chasses, en soufflant, quelque chose d'impur, quand tu te lèves en pleine nuit pour prier ? Ne paraîtras-tu pas te livrer à quelque rite magique ? Ton mari ne saura-t-il pas ce que tu prends en secret avant toute nourriture ? Et s'il vient à savoir que c'est du pain, ne croira-t-il pas qu'il s'agit de ce pain, dont on parle.

4. Et si quelqu'un ignore ces on-dit, acceptera-t-il tout bonnement les explications qu'on lui donnera, sans maugréer, sans se demander si c'est bien du pain et non quelque drogue ? Certains maris se montrent tolérants, mais c'est pour fouler aux pieds, pour tourner en dérision les imprudentes de cette sorte, dont ils tiennent les « secrets » en réserve en vue d'un risque imaginaire, au cas où, peut-être, ils subiraient quelque dommage du fait de leur tolérance ; ils s'approprient leur dot pour prix de leur silence, en leur reprochant leur qualité

c. I Cor. 7, 32 ; cf. I Pierre 3, 6
d. Matth. 7, 6

rum dotes obiectione nominis mercedem silentii faciant,
scièicet apud arbitrium speculatorem litigaturi. Quod
plereaque non prouidentes aut re excru ciata aut fide
30 perdita recognoscere consuerunt.

VI, 1. Moratur Dei ancilla cum laribus alienis,
et inter illos omnibus honoribus daemonum, omnibus
sollemnibus regum, incipiente anno, incipiente mense,
nidore turis agitabitur. Et procedet de ianua laureata
5 et lucernata, ut de nouo consistorio libidinum publi-
carum, discumbet cum marito, saepe in sodalitiis,
saepe in popinis. Et ministrabit nonnumquam iniquis,
solita quondam sanctis ministrare. Et non hinc praeiu-
dicium damnationis suae agnoscet, eos obseruans quos
10 erat iudicaturaᵃ ? De cuius manu desiderabit ? De
cuius poculoᵇ participabit ? Quid maritus suus illi,
uel marito quid ipsa cantabit ?

2. Audiet sane, audiet aliquid de scaena, de taberna,
de gehenna. Quae Dei mentio ? Quae Christi inuocatio ?
15 Vbi fomenta fidei de scripturarum interiectione ?
Vbi Spiritus refrigerium ? Vbi diuina benedictio ?
Omnia extranea, omnia inimica, omnia damnata,
adterendae saluti a malo immissa.

---

28. pleraeque R : plerique *cett.* ‖ 29. aut re : aure A ‖ perdit A ‖ recognoscere consuerunt A : recensuerunt θR
VI. 1. laribus θR : laboribus A ‖ 2. honoribus θR : hominibus A ‖ 3. anno
AR : an non θ ‖ mense *om.* F ‖ 4. turis : turris A thuris NFR eiuris X ‖
procedet AN : procedit βR ‖ 5. lugernata A ‖ 6. discumbet A : discumbit
θR ‖ marito : marcio F ‖ saepe *om.* θR ‖ sodaliciis A : sodaliens X ‖ 7. popinis AR : opinionis θ ‖ 9. agnoscet A : adcognoscet θR ‖ obseruans A : ob-
seruat N obseruabat β obseruabit R ‖ 10. de cuius manu θR : cuius ma-
num A ‖ 12. quid : quod X ‖ ipsa A : illa θR ‖ 13. audiet¹ A : audiat θR
‖ audiet² *om.* AN ‖ de scena : *Vrs. Rig.* dei cenans A dei cena NX dei
coena FR ‖ de taberna : tabernacula N ‖ 15. ubi : nisi X ‖ interiectione
A : interfectione NFR¹ in confectione X refectione R² interlectione R³ ‖

de chrétiennes, bien entendu avec l'intention d'engager un procès devant un magistrat qui examinerait l'affaire. Voilà ce que bien des femmes oublient de prévoir ; elles le comprennent en général quand on leur a arraché leur fortune ou fait perdre leur foi.

VI, 1. La servante de Dieu demeure avec des dieux étrangers ; au milieu d'eux, à toutes les fêtes des démons, à toutes les solennités des empereurs, au commencement de l'année, au premier jour du mois, elle sera poursuivie par l'odeur de l'encens. Elle franchira la porte de sa maison, ornée de laurier et garnie de lampes, comme celle d'un établissement de débauche qu'on vient d'ouvrir. Elle prendra place avec son mari tantôt aux banquets de sociétés tantôt dans les cabarets. Il lui faudra parfois servir des impies, elle qui naguère aimait se faire la servante des saints. Ne va-t-elle pas reconnaître par là que sa condamnation est déjà prononcée, quand elle se mettra au service de ceux qu'elle devait juger[a] ? De quelle main attendra-t-elle sa nourriture ? A quelle coupe lui faudra-t-il goûter[b] ? Quelles chansons lui chantera son mari, et elle que lui chantera-t-elle ?

2. Elle en entendra, oui, elle en entendra, des airs de théâtre, de cabaret, de la géhenne. Quelle mention fait-on de Dieu ? Quelle invocation du Christ ? Où stimule-t-on la foi en citant les Écritures à tout propos ? Où sont les consolations de l'Esprit ? Où sont les bénédictions de Dieu ? Tout est étranger, hostile, maudit, envoyé par le Malin, pour détruire le salut.

---

16. ubi[1] (sp.) *om.* F ‖ spiritus ubi refrigerium *tr.* A ‖ 18. atterandae A ‖ saluti AR[3] : salutis θR[1.2]

VI, a. Cf. I Cor. 6, 2 ; 2, 15
b. Cf. I Cor. 10, 16

VII, 1. Haec si illis quoque euenire possunt, qui in
matrimonio gentili fidem adepti morantur, tamen
excusantur : ut in ipsis deprehensi[a] a Deo et iubentur
perseuerare[b] et sanctificantur[c] et spem lucrationis[d]
5 accipiunt. Si ergo ratum est apud Deum matrimonium
huiusmodi, cur non et prospere cedat, ut pressuris et
angustiis et impedimentis et inquinamentis non ita
lacessatur, habens iam ex parte diuinae gratiae patro-
cinium ?

10 2. Nam et ad aliquam uirtutem caelestem documentis
dignationis alicuius uocatus ille de gentibus terrori
est gentili, quo minus sibi obstrepat, minus i⟨n⟩stet,
minus speculetur. Sensit magnalia[e], uidit experimenta,
scit meliorem[f] factum ; sic et ipse Dei candidatus
15 est timore. Ita facilius huiusmodi lucrifiunt[g], in quos
Dei gratia consuetudinem fecit.

3. Ceterum aliud est ultro et sponte in prohibita
descendere. Quae Domino non placent, utique Dominum
offendunt, utique a malo inferuntur. Hoc signi erit,
20 quod solis petitoribus placet nomen Christianum.
Ideo inueniuntur, qui tales non exhorreant, ut exter-

VII. 1. illis A : ei θR ‖ possunt A : possint θR ‖ 2. gentili A : gentilis
θR ‖ adepti AR[1.2] : adempti NFX : adepta R[3] ‖ morantur AN : moratur
βR ‖ 5. ratum : rarum N ‖ 6. non et AN : non βR ‖ pressuris A : ⟨et a⟩ pr.
θR ‖ 7. et inquinamentis om. A ‖ 8. iam habens tr. βR ‖ 10. ⟨quae⟩ uirtutem βR ‖ 11. ⟨et⟩ dignationis β ‖ ille de gentibus om. θR ‖ 12. est : et X
‖ 12-13. sibi—minus om. A ‖ 12. obstrepant W ‖ instet Kroy. : sit et θR
sciat R ‖ 13. experimenta AR : expedimenta θR ‖ 14. meliorum A ‖ sic :
si A ‖ dei om. AR ‖ 15. timore A : timoris θR ‖ lucrifiunt R[3] : lucro fiunt
A θR[1.2] ‖ 16. dei ⟨de⟩ N ‖ facit N ‖ 17. ultro AR[2.3] : intro θR[1] ‖ 8. non
—dominum om. A ‖ 19. a malo inferuntur A : malo se inferunt θR ‖ 20.
quod solis A : ut solis quod solis θR ‖ petitoribus θR : petitioribus A ‖ 21.
ideo AR[2.3] : deo NXR[1] de F ‖ exhorreant NR : exorreant A exhortant β
‖ exterminent AR[3] : exhorta eminent N exerta eminent βR[1.2]

VII, 1. Si ces dangers peuvent se présenter aussi à ceux qui, mariés à des païens, demeurent dans cette union après qu'ils ont embrassé la foi, du moins sont-ils excusables : ayant été saisis[a] par la grâce de Dieu en cet état, ils sont obligés d'y persévérer[b], ils sont sanctifiés[c] et reçoivent l'espérance de gagner[d] leur conjoint. Si donc un mariage de ce genre est approuvé par Dieu, pourquoi ne pourrait-il pas aussi se maintenir heureusement, sans être tellement harcelé d'épreuves, de difficultés, d'obstacles et de souillures, puisqu'il possède déjà en partie le patronage de la grâce de Dieu ?

2. En effet, puisque le conjoint a été appelé au milieu des païens, par les signes d'une grâce mystérieuse, à une vertu toute céleste, il inspire la terreur à l'époux demeuré païen, l'empêchant de se montrer hostile à son égard, importun, soupçonneux. Il a touché des merveilles[e] ; il en a vu les preuves ; il constate que son conjoint est devenu meilleur[f]. Le voici devenu, lui aussi, un candidat de Dieu, sous l'effet de la crainte. Tant il est plus facile de gagner[g] à la foi ceux qui se trouvent dans cette situation, ceux avec lesquels la grâce de Dieu a établi des relations intimes.

3. Mais autre chose est de se résoudre de soi-même et volontairement à ce qui est interdit. Ce qui déplaît au Seigneur offense le Seigneur, certainement ; certainement, c'est l'œuvre du Malin. La preuve en est que le nom chrétien ne plaît qu'aux prétendants. Si l'on trouve des hommes qui ne témoignent pas de répugnance envers les chrétiennes, c'est

---

VII, a. Cf. I Cor. 7, 17
b. Cf. I Cor. 7, 13. 20
c. Cf. I Cor. 7, 14
d. Cf. I Cor. 7, 16 ; I Pierre 3, 2
e. Cf. Act 2, 11 ; Ex. 14, 13
f. Cf. I Pierre 3, 1-2
g. ibid.

minent, ut abripiant, ut a fide excludant. Habes
causam, qua non dubites nullum huiusmodi matrimonium prospere decurri : dum a malo conciliatur,
25 a Domino uero damnatur.

VIII, 1. Ad hoc quaeramus an iure, quasi reuera
dispectores diuinarum sententiarum. Nonne etiam
penes nationes seuerissimi quique domini et disciplinae tenacissimi seruis suis foras nubere interdicunt ?
5 Scilicet ne in lasciuiam excedant, officia deserant,
dominica extraneis promant. Nonne insuper censuerunt
seruituti uindicandas quae cum alienis seruis post
dominorum denuntiationem in consuetudine perseuerauerint ?

10 2. Seueriores habebuntur terrenae disciplinae caelestibus praeceptis, ut gentiles quidem extraneis iunctae
libertatem amittant, nostrae uero diaboli seruos sibi
coniungant et in statu suo perseuerent ? Scilicet nega-
bunt sibi a Domino per apostolum[a] eius denuntiatum.
15 Quam huius amentiae causam detineam, nisi fidei
imbecillitatem pronam semper in concupiscentias sae-
cularium gaudiorum ? 3. Quod quidem plurimum in
lautioribus deprehensum est. Nam quanto diues aliqua
est et matronae nomine inflata, tanto capaciorem
20 domum oneribus suis requirit, ut campum in quo

---

22. abripiant *Rig.* : abrapiant A arripiant θR ‖ 24. dum *om.* θR

VIII. 1. queramur A ‖ an iure XR : an in iure A an auire N anime F ‖
2. dispectores AN : dispectatores β despectatores R ‖ 2-3. etiam—seuerissimi *om.* βR ‖ 3. domini : deum F ‖ 4. tenacissima F ‖ nubere *om.* N ‖ 5.
lasciuia A ‖ 6. dominica—promant *om.* A ‖ 7. seruituti : uti A ‖ uindicandas quae *Pam* : uindicandos qui *codd.* R ‖ cum alienis seruis A : cum alienos
seruos θR[1] cum alieno seruo R[2,3] ‖ 8. consuetudine AR[3] : consuetudinem
θR[1,2] ‖ perseuerauerint A : perseverauerunt θR ‖ 11. praeceptis : praes-
criptis R ‖ iunctae X : iuncti ANFR ‖ 12. nostri X ‖ 13. suo *om.* X ‖ eius
Lat. Kroy. : eiusdem *codd.* R ‖ 16. inbecillitate X ‖ promam β ‖ concupis-

qu'ils se proposent de les ruiner, de les dépouiller de leurs biens, de les éloigner de leur foi. Voici le motif pour lequel, n'en doute pas, aucun mariage de ce genre ne peut parvenir au bonheur : c'est que le Malin les combine, mais le Seigneur les condamne.

VIII, 1. Examinons à ce propos si c'est à bon droit, en nous érigeant pour ainsi dire en juges des décrets divins. N'est-il pas vrai que, chez les païens aussi, les maîtres les plus sévères et les plus attachés à la discipline interdisent à leurs esclaves de se marier hors de la maison ? Évidemment, c'est pour éviter qu'ils s'égarent dans la débauche, désertent leurs devoirs, livrent à des étrangers les biens de leurs maîtres. N'ont-ils pas aussi décidé de réduire en esclavage les femmes qui, malgré l'injonction du maître, ont continué de cohabiter avec des esclaves d'une autre maison ?

2. Les règlements de la terre passeront-ils pour plus sévères que les commandements du ciel, au point que les païennes, unies à des esclaves étrangers, perdront leur liberté, tandis que nos chrétiennes prendront pour maris des esclaves du Diable et conserveront les privilèges de leur condition ? Évidemment elles nieront que le Seigneur leur ait fait parvenir son injonction par l'intermédiaire de son Apôtre[a].

Quel motif retenir pour cette folie, sinon la faiblesse d'une foi toujours encline aux jouissances du siècle ? 3. Assurément c'est bien ce que l'on a pu saisir sur le vif, surtout chez les plus riches. Car plus une femme est riche et s'enfle de son titre de « femme mariée », plus spacieuse est la maison qu'elle recherche pour ses dépenses, domaine où son ambition se

---

centias A : conc. am βR conc. a N ‖ 19. et matronae A : et matrona αR[a] cum matrona βR[1.2] commatrona R[1] *mg* ‖ nomina N ‖ capaciorem A : capacem θR ‖ 20. oneribus : honoribus F ‖ ut *om.* θR

VIII, a. Cf. I Cor. 7, 39

ambitio decurrat. Sordent talibus ecclesiae. Difficile
in domo Dei diues, ac si quis est, difficile caelebs.
Quid ergo faciant ? Vnde nisi a diabolo maritum
petant idoneum exhibendae sellae et mulabus et
25 cinerariis peregrinae proceritatis ? Christianus ista etiam
diues fortasse non praestet.

4. Quaeso te, gentilium exempla proponas tibi.
Pleraeque et genere nobiles et re beatae passim ignobilibus et mediocribus simul coniunguntur aut ad
30 luxuriam inuentis aut ad licentiam sec⟨ta⟩tis. Nonnullae se libere et seruis suis conferunt, omnium hominum
existimatione despecta, dummodo habeant a quibus
nullum impedimentum libertatis suae timeant. Christianam fidelem fideli re minori nubere piget, locuple-
35 tiorem futuram in uiro paupere.

5. Nam si pauperum[b] sunt regna caelorum, diuitum
non sunt, plus diues in paupere inueniet ; maiore
dote dotabitur de bonis eius, qui in Deo diues est.
Sit illa ex aequo in terris, quae in caelis forsitan non
40 erit. Dubitandum et inquirendum et identidem deli-
berandum est, an idoneus sit inuectis dotalibus cui
Deus censum suum credidit ?

---

21. decurrat AR : decurrit N decucurrat β ‖ sordent—ecclesiae *om.* A ‖
23. unde : idoneum A ‖ 24. idoneum A : donum θR[1,2] bonum R[3] ‖ 25. cinerariis NR : cineraris A emerariis β itinerariis R[2] onerariis R[1] *mg* ‖ christianus R : christianos θ christiano A ‖ 28. et genere AR : et generis N ex
genere β ‖ nobiles AR : nobilis θ ‖ passim ignobilibus A : pessimis de ignobilibus θ pessimis N ‖ simul NFR : sibi A sit X ‖ aut *om.* A ‖ 30.
inuentis AR[2,3] : inuentos θR[1] ‖ sectatis *Stephan* : sectis A expectatos
θR[1,2] expetitis R[3] ‖ nonnullae se FR : nonnullae NX non in ulla esse A
‖ 31. libere A : libertis θR ‖ 32. despecta dummodo A : dispectandum
modo θ despectandum modo R ‖ 34. re AR : rerum β iterum N ‖ locupletatiorem A ‖ 35. futuram AR[2,3] : fugam θR[1] pauperi X ‖ 36. caelorum
⟨quia⟩ NFR : caelorum ⟨qui⟩X ‖ diuitum : diuitium A ‖ 38. dotabitur—
diues est *om.* θR ‖ 39. ex aequo : ex quo F ‖ 40. identidem : idem A ‖

donne libre cours. Pour les femmes de cette sorte, les églises sont sans attrait. C'est qu'il est difficile de trouver un homme riche dans la maison de Dieu et s'il s'en trouve un, il est difficile qu'il soit célibataire. Que faire donc ? A qui, sinon au Diable, demander un mari susceptible de leur procurer chaise à porteur, mules, coiffeurs exotiques à taille de géant ? Cela, un chrétien, même riche, refuserait peut-être de le procurer.

4. Mets sous tes yeux, je t'en conjure, l'exemple des païennes. Plusieurs d'entre elles, de noble naissance et comblées de biens, s'unissent indistinctement à des hommes de basse extraction et en même temps de condition plus que modeste, qu'elles ont trouvés pour satisfaire à leur luxure ou recherchés pour s'accorder toute licence. Certaines se mettent en ménage librement avec leurs propres esclaves, au mépris de l'opinion générale, pourvu qu'elles aient des hommes dont elles n'auront à craindre nulle entrave à leur bon plaisir. Mais une chrétienne rougit d'épouser un chrétien moins riche, elle qui deviendrait plus riche auprès d'un mari pauvre.

5. Car si le royaume des cieux appartient aux pauvres[b], il n'appartient pas aux riches et une femme riche trouvera son avantage à épouser un pauvre ; elle obtiendra une dot plus importante, à valoir sur les biens de celui qui est riche auprès de Dieu. Qu'elle se fasse sur terre l'égale de son mari, car au ciel, peut-être, elle ne le sera pas. Faut-il donc hésiter, s'interroger, délibérer sans cesse, pour savoir si un tel fera un mari convenable pour la dot qu'on apporte, alors que Dieu lui-même lui a confié sa fortune ?

40-41. liberandum X ‖ 41. idoneus A : ideo θR ‖ inuectis ANR[1·2] : innectis F inuectus Xinuestis R[3]

---

b. Cf. Lc 6, 20 ; Matth. 5, 3

6. Vnde sufficiamus ad enarrandam felicitatem eius
matrimonii, quod ecclesia conciliat et confirmat oblatio
45 et obsignat benedictio, angeli renuntiant, pater rato
habet ? Nam nec in terris filii sine consensu patrum
rite et iure nubunt.

7. Quale iugum fidelium duorum unius spei, unius
uoti, unius disciplinae, eiusdem seruitutis. Ambo
50 fratres, ambo conserui ; nulla spiritus carnisue dis-
cretio, atquin uere *duo in carne una*ᶜ. Vbi caro una,
unus et spiritus : simul orant, simul uolutantur, simul
ieiunia transigunt, alterutro docentesᵈ, alterutro exhortantes, alterutro sustinentes.

55 8. In ecclesia Dei pariter utrique, pariter in conuiuio
Dei, pariter in angustiis, in persecutionibus, in refrigeriis. Neuter alterum celat, neuter alterum uitat, neuter
alteri grauis est. Libere aeger uisitatur, indigens sustentatur. Elemosinae sine tormento, sacrificia sine
60 scrupulo, quotidiana diligentia sine impedimento ;
non furtiua signatio, non trepida gratulatio, non muta
benedictio. Sonant inter duos psalmiᵉ et hymni, et
mutuo prouocant, quis melius Domino suo cantet.
Talia Christus uidens et audiens gaudet. His pacemᶠ

---

43. sufficiamus A : sufficiam R ‖ enarrandum ‖ 45. obsignat *Rig.* :
obsignata A obsignatum R ‖ benedictio *om.* R ‖ 47. rite θR : recte A
‖ et iure *om.* N ‖ nubunt A : nubent θR ‖ 48. duorum ARᵃ : tuorum
θR¹·² ‖ 49. uoti : moti F ‖ 52. et : est A ‖ ⟨et⟩ simulᵃ NR ‖ 53. docen-
tes A : ducentes θR ‖ exhortantes A : hortantes θR ‖ 54. alterutro sustinentes *om.* θR ‖ 55. utrique pariter *om.* θR ‖ conuiuio A : connubio
NFR conubio X ‖ 56. in persecutionibus *om.* θR ‖ 57. neuter alterum
celat *om.* A ‖ alterum : alterutrum X (*bis*) ‖ 58. indigens sustentatur *om.* A.
‖ 60. diligentia : indulgentia X ‖ 61. muta : mutua β ‖ 62. sonat X ‖ 63
prouocauit F ‖ domino A : deo θR ‖ cantet A : canet θR ‖ 64. christus
θR : sps A

6. Où vais-je puiser la force de décrire de manière satis-
faisante le bonheur du mariage que l'Église ménage, que
confirme l'offrande, que scelle la bénédiction ; les anges
le proclament, le Père céleste le ratifie. Ici-bas, non plus,
les enfants ne peuvent se marier selon les formes et selon le
droit sans le consentement paternel.

7. Quel couple que celui de deux chrétiens, unis par une
seule espérance, un seul désir, une seule discipline, le même
service ! Tous deux enfants d'un même père, serviteurs
d'un même maître ; rien ne les sépare, ni dans l'esprit ni dans
la chair ; au contraire, ils sont vraiment deux en une seule
chair[c]. Là où la chair est une, un aussi est l'esprit. Ensemble
ils prient, ensemble ils se prosternent, ensemble ils observent
les jeûnes ; ils s'instruisent[d] mutuellement, s'exhortent
mutuellement, s'encouragent mutuellement.

8. Ils sont l'un et l'autre à égalité dans l'église de Dieu,
à égalité au banquet de Dieu, à égalité dans les épreuves,
les persécutions, les consolations. Entre l'un et l'autre aucun
secret, entre l'un et l'autre aucun faux-fuyant, entre l'un
et l'autre aucun motif de peine. C'est en toute liberté que
l'on visite les malades, que l'on assiste les indigents. Pour
l'aumône pas de tracasseries, pour le sacrifice pas de contre-
temps, pour l'observance des devoirs quotidiens pas d'entrave ; pas de signe de croix furtif, de salutation inquiète,
de bénédiction muette. Entre eux deux, psaumes et hymnes[e]
retentissent ; ils se provoquent mutuellement pour savoir
qui chante le meilleur chant à son Seigneur. Le Christ se
réjouit à cette vue et à ce concert. Il leur envoie sa paix[f].

---

c. Cf. Gen. 2, 24 ; Matth. 19, 6 ; I Cor. 6, 16
d. Cf. Rom. 15, 14
e. Cf. Col. 3, 16
f. Cf. Jn 14, 27

65 suam mittit. Vbi duo[g], ibi et ipse ; ubi et ipse, ibi et malus non est.

9. Haec sunt, quae apostoli uox illa sub breuitate intellegenda nobis relinquit. Haec tibi suggere, si opus fuerit. His te ab exemplis quarumdam reflecte. 70 Non licet aliter fidelibus nubere, et si liceret, non expediret.

---

65. ubi et ipse βR : ubi ipse A *om.* N ‖ 66. ibi[a] *om.* A ‖ 67. breuitate A : benignitate θR ‖ 68. relinquit : relinquid A reliquit θR ‖ 69. his te FR : hiis te NX iste A ‖ ab : ad F ‖ quarumdam AR[3] : quorundam θR[1,2] ‖ 70. licet AβR : liceat N ‖ et si liceret *om.* A ‖ 71. expediret θR : expedit A ‖ Ad uxorem liber II. Explicit. Incipit de exhortatione castitatis A : Tertulliani Ad uxorem liber secundus explicit. Incipit de monogamia N : Q. Septimii Florentis Tertulliani (Tertuliani X). Incipit liber de fuga in persecutione β.

Là où deux sont réunis, il est présent lui aussi[g]. Là où il est présent, le Mauvais n'a point de place.

9. Telles sont les pensées que la parole de l'Apôtre, dans sa brièveté, a confiées à notre intelligence. Rappelle-les à ton esprit, au besoin. Qu'elles t'aident à éviter l'exemple que donnent certaines. Les chrétiens n'ont pas le droit de conclure autrement leur mariage et, s'ils en avaient le droit, ils n'y auraient nul intérêt.

g. Matth. 18, 20

COMMENTAIRE

LIVRE I

1. conserua : terme commun (compagne d'esclavage), qui prend ici une signification proprement chrétienne, en référence aux passages du Nouveau Testament, où les fidèles sont appelés *serui Dei* (*I Pierre* 2, 16) ou *serui Christi* (*Éphés.* 6, 6) ; *I Cor.* 7, 22, etc.). Cf. Chr. MOHRMANN, *Études sur le latin des chrétiens*, II, p. 335-337 ; H. PÉTRÉ, *Caritas*, p. 161-165. — Tertullien emploie fréquemment cette désignation ; cf. *Paen.*, 10, 4 ; *Cult.*, II, 1, 1 ; *Vx.*, II, 8, 5 : si tous les chrétiens sont *servi Dei*, ils sont, entre eux, *conserui* : compagnons de service, unis par les mêmes devoirs envers leur unique maître et seigneur. TEEU-WEN note l'insistance de Tertullien à souligner que les chrétiens n'ont pas seulement des relations de famille avec Dieu, mais aussi des rapports de serviteur à maître, p. 125-128.

mandare : nous faisons dépendre ce verbe de *dignum duxi*, à l'instar de *prouidere* ; peut-être manque-t-il une particule de liaison entre les deux membres de la phrase, mais l'asyndète est un procédé commun à l'auteur ; cf. HOPPE, *Beiträge*, p. 53-54. — J. L. DE LA CERDA rattache *mandare* à *obserues*, et interprète : *ut obserues et mandes*. Sur *obseruare* construit avec l'infinitif, voir *TLL* IX, 214.

2. talibus tabulas : conjecture de Rigault, suivi par Léopold et Oehler ; elle s'appuie sur la dittographie de l'*Agobardinus* : *talibus talibus*. Nous n'avons pas retenu la conjecture de Rhenanus (1539), qui proposait d'introduire le deuxième membre de la phrase par la conjonction *si*. — A l'instar des coutumes et des droits populaires orientaux, les Romains de l'époque impériale rédigeaient des contrats écrits de mariage (*tabulae nuptiales*), signés et scellés en présence de témoins attitrés. Ces documents servaient à attester la dot et exprimaient les intentions matrimoniales des époux (RITZER, *o.c.*, p. 77-79). Tertullien y fait allusion plus loin : *Vx.*, II, 3, 1. Plutôt qu'aux contrats de mariage, il songe ici aux *tabulae testamenti*, consignant les dernières volontés du testateur ; cf. GAIUS II, 104. En effet, il donne à tout le traité la forme d'un testament.

legatum : le testateur peut transmettre ses biens de diverses manières, soit en prévoyant une succession à titre universel, soit en recourant à des legs, fidéicommis ou donations à cause de mort. Il peut instituer un héritier unique ou plusieurs héritiers, en certains cas procéder à l'exhérédation ou à l'omission de certains héritiers ; cf. R. MONIER, *Manuel élémentaire de Droit romain*, I, Paris 1945, p. 457-532. — Le *legatum* est une disposition à titre gratuit par laquelle le testateur distrait une valeur de l'ensemble des biens devant revenir à l'héritier, pour l'attribuer à une autre personne que celui-ci ; en cas de plusieurs héritiers, on peut laisser une chose à l'un des héritiers qui se l'appropriera avant le partage ; c'est un *praelegatum* ou un *legatum per praeceptionem*, un prélegs ou un legs par préciput (GAIUS II, 221). — Si Tertullien évoque ici les dispositions testamentaires qu'il a prises en faveur de sa femme, le lecteur moderne ne peut être que médiocrement sensible à ces finesses de robin.

demonstrationem : détermination de l'objet par l'un de ses caractères, par opposition à la désignation nominale (*nomen*). Tertullien ne prétend pas décrire avec précision, de manière exhaustive, en les désignant par leur nom, les biens célestes qui reviendront à sa femme. Mais cela n'empêchera pas la validité de son legs, en vertu de l'adage : *falsa demonstratio non nocet* (MONIER, *o.c.*, p. 522). — Voir aussi *Pat.*, 1, 1 ; *demonstrationem et commendationem alicuius rei...*

3. solidum : allusion aux lois augustéennes (*Pappia Poppaea —
Iulia de maritandis ordinibus*), qui restreignent la capacité de
recueillir les successions pour certaines catégories de personnes :
les célibataires, frappés d'une incapacité totale ; les hommes
sans enfants, les *ingenuae* avec moins de trois enfants, les *liber-
tae* avec moins de quatre enfants, tous frappés d'une incapacité
de moitié ; cf. ULPIEN, *Reg.*, XVI, 1-2. Tertullien ironise plus
d'une fois sur leur compte (*Apol.*, 4, 8 ; *Mon.*, 16, 4), en soulignant
que les lois caducaires n'ont aucune prise sur l'héritage céleste
des chrétiens.

fideicommissum : libéralité de dernière volonté, pour laquelle le
disposant s'en remet à la bonne foi d'un fiduciaire, pour la
faire parvenir au destinataire (le fidéicommissaire). Le fidéicommis d'hérédité est fréquent sous le Haut-Empire, quand
il s'agit de transmettre une succession à une femme, un enfant,
un absent (MONIER, *Manuel*, n. 243) ; il peut même embrasser
la totalité de l'hérédité : ULPIEN, Reg., XXIV, 25 et XXV, 15.
Mis en cause, il peut donner lieu à une controverse en « pétition
d'hérédité », familière à Tertullien, puisqu'il en fait le pivot du
De praescriptione haereticorum (J. DÉNOYEZ, *Le défendeur à la
pétition d'hérédité privée en Droit romain*, Paris, Sirey, 1953 ;
D. MICHAÉLIDÈS, *Foi, Écritures et Tradition*, Paris 1969, p. 108-
111).

faciat : le fidéicommis était fait *uerbis praecatiuis* : GAIUS II,
249. — Tertullien se meut avec délices dans le jargon juridique :
il a pris toutes dispositions utiles, afin que son épouse puisse
recueillir la totalité des biens qu'il lui destine ; il a voulu recourir
à la procédure du fidéicommis et à celle du legs — comme le
faisaient ses contemporains désireux d'éviter les nullités de
forme (MONIER, Manuel, n. 374) ; il a confié à Dieu lui-même
l'exécution de son fidéicommis.

honor : la doxologie de Tertullien est composite ; elle s'inspire
essentiellement d'*Apoc.* 5, 13 et de *Jude* 25 ; cf. H. RÖNSCH,
Das Neue Testament Tertullian's, p. 571.

4. continentia : comme l'*egkrateia* grecque, la *continentia*
désigne d'abord la maîtrise de soi, l'empire sur soi-même, puis

la modération, la retenue. En milieu chrétien, le terme s'est enrichi de connotations relatives surtout à l'abstinence sexuelle. A la limite, il désigne le renoncement au mariage, la chasteté parfaite.

angelicam qualitatem : les hommes admis à la gloire du ciel partageront la condition des anges ; ils ne connaîtront plus les misères ni les besoins de la vie terrestre. Contre Valentin, qui destinait les âmes des élus à devenir les épouses des anges, Tertullien évoque le verset de *Matth.* 22, 30 (*Val.*, 32, 3-5). Mais les mariages terrestres ne seront pas non plus restaurés. Cf. *Cult.*, I, 2. 4 ; *Res.*, 62.

sanctitas : caractère sacré, inviolabilité, pureté. Tertullien l'emploie fréquemment dans cette dernière acception. Cf. *Vx.*, I, 4, 3 ; 7, 5 ; 8, 2...

6. integritatem : P. MONCEAUX observe finement à ce propos : « ... il proteste de telle sorte et avec tant d'insistance qu'il trahit justement son involontaire préoccupation » (*Histoire littéraire de l'Afrique chrétienne*, I, p. 191).

dedecoris... spurca : Tertullien ne manifeste aucune indulgence pour l'œuvre de chair ; il réserve ses louanges à l'abstinence sexuelle, qui anticipe la condition angélique. Cf. *Cast.*, 10.

suspectum : a le sens actif ici, comme en *Apol.* 21, 20 ; *Marc.*, V, 3, 4. Cf. HOPPE, *De sermone Tertullianeo*, 68.

II **1. benedictam a Deo :** Tertullien a ici en vue l'institution du mariage au sens le plus général, fondée dès les origines pour peupler l'univers (*Gen.* 1, 28). Sa pensée est parfaitement orthodoxe, tout comme en *Marc.*, I, 29, 1 ; V, 18. En *Cast.*, 9, il abandonnera cette position, pour comparer le mariage à une fornication, puisqu'il a pour objet une *commixtio carnis* ; cf. LE SAINT, *o.c.*, p. 142, n. 70-72.

seminarium : C'est la conception du Droit romain : la procréation est la fin primaire du mariage (ULPIEN, *Reg.*, III, 3). La philosophie populaire, à tendance stoïcienne, la rejoint. Les Pères la reprennent (M. Spanneut, *Le stoïcisme des Pères de l'Église*, Paris 1957, p. 260).

replendo : Pour Tertullien, c'est chose faite, ou peu s'en faut (*An.*, 30, 4). Cette opinion explique aussi ses théories antinatalistes. Mêmes vues chez Jérome, *Adv. Helvidium* 21 : *iam plenus est orbis, terra nos non capit*.

una mulier : Tertullien y voit l'argument décisif, qui fonde la monogamie. Il y revient avec insistance (*Cast.*, 5 ; *Mon.*, 4). La doctrine canonique classique observe aussi, à propos de *Gen.* 2, 24, qu'un homme ne peut, juridiquement, engager son corps à plusieurs femmes et que la pluralité d'épouses va contre l'exclusivité naturelle de l'amour. Mais saint Thomas lève la difficulté en rappelant que, si le mariage a pour fin principale la procréation et l'éducation des enfants, la polygamie n'y fait point obstacle (à la différence de la polyandrie) ; mais elle s'oppose à la fin secondaire, l'association, la collaboration des époux (G. Le Bras, art. « Mariage », *DTC*, IX (1927), 2175. Sur les origines juives de l'argument, voir Aziza, *o.c.*, p. 204.

permissam : dans cette addition, apparemment anodine, gît le sophisme fondamental de tout le traité. Dieu n'a pas permis le mariage, il l'a ordonné (*Gen.* 1, 28 ; 2, 24 ; cf. *Matth.* 19, 5). Dès les premières lignes, la démonstration se trouve donc infléchie de manière irrémédiable ; le commentaire de la *Première aux Corinthiens* ira dans le même sens : Paul aurait seulement « permis » le mariage, et le remariage (cf. Cl. Rambaux, *Tertullien et le remariage...*, p. 15). *Vx.*, I, 3, 2-5.

2. figuraliter : néologisme de Tertullien (*Test.*, 2, 2). Nous retenons la leçon de l'*Agobardinus*, qui fait ressortir l'antithèse des adverbes : *figuraliter — simpliciter* ; cf. J. H. Waszink, *Vig. Christ.*, 6, 1952, p. 184-186. — Tertullien a condamné à mainte reprise les abus de l'exégèse allégorique (*Res.*, 33 ; *Scorp.*, 11 ; *Pud.*, 8), mais il n'en rejette pas le principe (O'Malley, *o.c.*, p. 125-129 ; 158-165 ; Aziza, *o.c.*, p. 210-214).

in synagoga ecclesia : nous retenons la leçon de l'*Agobardinus*, illustrée par les passages parallèles de *Cast.*, 6. et *Mon.*, 6 ; cf.

Waszink, *art. cit.*, p. 185. Tertullien fait allusion ici à l'interprétation allégorique fournie par saint Paul lui-même dans *l'épître
aux Galates* 4, 21-26, mais il n'explicite pas autrement sa pensée ;
il se contente de rappeler que la Synagogue est une figure de
l'Église ; voir aussi *Marc.*, 4, 22.

simpliciter : pour Tertullien, comme pour les rabbins, le sens
primordial reste le sens littéral, sens que l'exégèse allégorique
ne peut qu'éclairer sans jamais l'infirmer, observe Aziza, *o.c.*,
p. 211. C'est le sens obvie, commun, rappelle l'auteur, conforme
à la signification ordinaire des termes et aux règles générales
de la rhétorique (H. Lausberg, *Handbuch*, n. 202). Cf. *An.*, 35,
2 ; *Bapt.*, 11, 2 ; *Praescr.*, 27, 2 ; *Or.*, 4, 1-2 ; *Herm.*, 19, 1 ;
Marc., 4, 19, 6 ; 43, 7).

necessarium fuit instituere : Tertullien développe ici l'argument
d'un progrès moral insensible et continu de l'humanité (*temperari*), qui n'exclut pas toutefois de brusques mutations et change-
ments de régime légal (*amputari*). Selon qu'il polémique contre
les Juifs ou contre Marcion et les Gnostiques, il insiste sur l'un
ou l'autre de ces aspects : la rupture qui marque l'instauration
de la Nouvelle Alliance, l'abolition de l'Ancienne Loi, ou bien
la continuité des deux Testaments, leur unité fondamentale
(Fredouille, *o.c.*, p. 284-290). Mais le même processus s'applique déjà lorsqu'on passe de l'ère des patriarches à celle de la
loi mosaïque. Par rapport à la polygamie simultanée des patriarches, le régime de la Loi représente un progrès incontes-
table, aux yeux de Tertullien. D'abord, cette forme de polygamie
est abolie et une certaine forme de monogamie est imposée ;
l'adultère est sévèrement châtié (*Lév.* 20, 10 ; *Deut.* 22, 22), mais
la répudiation demeure autorisée (*Deut.* 24, 1), ouvrant ainsi
la porte à la polygamie successive. Celle-ci, pourtant, est interdite aux prêtres (*Lév.* 21, 4). Dans le domaine des institutions
matrimoniales, le Christ est venu parfaire la Loi, explique
Tertullien. Il a aboli la possibilité de la répudiation et proclamé
le principe de l'indissolubilité (*Matth.* 5, 32) ; il interdit toute
forme d'adultère, même en pensée (*Matth.* 5, 28). L'apôtre, sous
la mouvance de l'Esprit, eu égard à la proximité de la Parousie,
parachève la circoncision spirituelle des chrétiens : certes, lui

non plus n'impose pas l'abstinence sexuelle, lui non plus n'a pas aboli l'institution du mariage, mais il a enseigné et rappelé sans cesse que si le mariage est un bien, à certains égards (*I Cor.* 7, 2 et 9), la continence est, de toutes façons, un bien supérieur. Sur tous ces problèmes des rapports entre la loi mosaïque et le Nouveau Testament, voir D. EFROYMSON, *Tertullian's Antijudaism and his role in its Theology*, Diss. Temple University, Philadelphie 1975, p. 174-197 ; AZIZA, *o.c.*, p. 89-103.

3. dei sermo, ou **sermo** seul, sert à Tertullien pour désigner le Logos, au sens christologique. Dans les écrits les plus anciens, la préférence est donnée à *uerbum* (BRAUN, *o.c.*, p. 256-289).

circumcisionem spiritalem : l'appartenance à Yahvé, dont la circoncision était le signe (*Gen.* 17, 10) doit atteindre aussi les facultés spirituelles, le « cœur ». Cette notion de circoncision spirituelle n'est pas inconnue de l'Ancien Testament (*Lév.* 26, 41 ; *Deut.* 10, 16 ; *Jér.* 4, 4). Cf. *Rom.* 2, 29.

legis adimplendae : allusion à *Matth.* 5, 17 : le Christ est venu, non pour abolir la Loi, mais pour l'accomplir, la parfaire, en lui donnant sa forme nouvelle et définitive (*Rom.* 3, 31 ; 10, 4). Le verset matthéen est souvent cité par Tertullien.

in extremitatibus saeculi : la proximité de la Parousie est un argument de poids dans les conceptions ascétiques de saint Paul. Cf. *I Cor.* 7, 29-31 ; *II Cor.* 6, 8-10. Tertullien le répète à satiété, avant même d'être passé au montanisme.

quas : le relatif peut avoir pour antécédent *materiae* ou *emendationum*.

1. praestruam : établir, poser en principe, en ce qui permettrait de faire jouer l'argument de prescription et de couper court au débat : *praescribam*. Le terme est fréquemment employé par Tertullien (WASZINK, *o.c.*, p. 261).

finem nubendi : les mouvements encratites, encouragés par la perspective d'une imminente parousie, n'ont pas tardé à se charger d'une idéologie dualiste mettant en cause « l'œuvre de chair ». Dans les *Stromates*, III, 80, CLÉMENT D'ALEXANDRIE s'élève contre les impies qui prétendent que les relations sexuelles sont une invention de Satan. Pour rejeter le mariage, certains allèguent une sentence qu'ils attribuent à Jésus : « Je suis venu pour détruire les œuvres de la femme » (*Strom.*, III, 63) et lisent dans l'Évangile des Égyptiens (E. HENNECKE, *New Testament Apocrypha*, éd. W. Schneemelcher, English translation ed. by R. McL. WILSON, I, p. 166). Tertullien attribue ces vues outrancières de manière générale aux Marcionites. Cf. *Marc.*, I, 29 ; IV, 11 ; V, 7.

uiderint : expression particulièrement chère à Tertullien (Cf. OEHLER, note sur *Cor.* 13, 2). Souhait au parfait, d'usage classique. « C'est l'affaire de... pour moi, peu m'importe ce qu'ils en pensent ».

negantes : l'opposé de *confiteri*, qui désigne la profession de foi. Rejeter le mariage équivaut à rejeter, à renier le Dieu de la création.

feminam de masculo : allusion à *Gen.* 2, 21-24. Tirés du même matériau originel, les deux sexes retrouvent dans l'union matrimoniale leur unité première.

compactione : la leçon des *recc.* intensifie la valeur du verbe, qui fait image : Le potier remodèle en une masse homogène les éléments épars. Le Saint préfère la leçon de l'*Agobardinus* : *computatione*. Tertullien ferait allusion aux lois mathématiques singulières qui régissent le mariage, où l'addition de deux éléments donne un (LE SAINT, *Tertullian, Treatises on marriage and remarriage*, dans *Ancient Christian Writers* 13, Westminster, Maryland 1951.

3. uri : Tertullien donne ici l'interprétation commune de *I Cor.* 7, 9 : mieux vaut se marier que de brûler des ardeurs de la passion (cf. *Marc.*, V, 7, 6). Dans ses écrits montanistes, il y verra les flammes de l'enfer (*Cast.*, 3, 6-10 ; *Mon.*, 3, 5-6 ; *Pud.*, 1, 15 ; 16, 16-17).

quale hoc bonum est : Tertullien continue de déprécier le mariage, en commentant les comparaisons de l'Apôtre. Mais il en tire un argument des plus fallacieux : la seule valeur positive du mariage serait d'empêcher les ravages de la concupiscence, les débordements de la luxure (Cl. RAMBAUX, *Tertullien et le remariage*, p. 14).

4. in persecutionibus... fugere : Si Tertullien admet encore ici la licéité de la fuite dans les persécutions, sur la base de *Matth.* 10, 23, il prendra une position intransigeante lorsqu'il sera passé au montanisme. Cf. *Cor.* 1, 4, et tout le traité *De fuga in persecutione*, qui doit dater de l'année 213.

At quanto beatiores : le texte est altéré ; la conjecture de Kroymann : *at quae isto beatior res ? Quae qui ualent beat : a testimonii confessione excedere*, est entortillée à plaisir et s'écarte audacieusement de la tradition manuscrite. Notre conjecture peut s'appuyer sur le parallélisme de : *Atenim quanto melius...* Pour le reste, nous retenons les leçons de A.

quod permittitur bonum non est : paradoxe, qui a pour dessein d'exploiter à fond la proposition-clé de toute la démonstration, de 2, 1 à 3, 6 : le mariage est (seulement) permis. Déclaré bon et béni par Dieu, en *Vx.*, 2, 1, il est pratiquement condamné par cette formule équivoque. Du reste, Tertullien n'osera pas la reprendre telle quelle, même dans ses traités montanistes : *Cast.*, et *Mon.*, (RAMBAUX, *Tertullien et le remariage*, p. 18).

si probor : les manuscrits écrivent : *si ploro*, mais quelle est la suite des idées ? Faute de la découvrir, plusieurs éditeurs suggèrent de supprimer tout le passage, de *necesse est*, jusqu'à *timeo*. Notre conjecture — des plus économiques — permet, semble-t-il, d'offrir une interprétation plausible : Je ne puis échapper à la mort, c'est là un fait évident, une nécessité inscrite dans la nature. Mais quel est le meilleur parti, pour un chrétien, en période de persécution ? Où est, pour lui, le bien véritable ? Dans la fuite, qui ne lui est pas interdite, qui, même, lui est expressément permise ? Ou bien, dans la mort, qui représente l'épreuve suprême et décisive (*probor*) ? Mais si je redoute de mourir, où peut se trouver pour moi le bien véritable ? Tertullien se refuse d'envisager cette perspective ; il laisse au lecteur le soin de répondre à sa place : *quod si timeo...* Bel exemple d'aposiopèse (H. LAUSBERG, *Handbuch der literarischen Rhetorik*, Munich 1973, p. 438).

suspectam causam : Tertullien continue son travail de sape contre le mariage. S'il est (seulement) permis, c'est bien la preuve qu'il ne peut être bon. En effet, ce qui est permis est suspect de l'être pour une mauvaise raison. Au contraire, ce qui est (véritablement) bon, il n'y a pas lieu de le permettre, car son excellence ne fait pas de doute et s'impose à chacun. La suspicion est ainsi jetée sur tous les candidats au mariage et au remariage, car Tertullien fait d'une pierre deux coups. Et il pourra, dans les chapitres suivants, faire aux veuves désireuses de se remarier un procès d'intention des plus sévères ; puisqu'elles veulent faire usage d'une permission, elles ne peuvent avoir que des raisons suspectes : la concupiscence de la chair (4, 3-5), la concupiscence du monde (4, 6-8).

IV 1. impensius : la leçon des *recc.* semble préférable pour son expressivité.

spiritum firmum : citation de *Matth.* 26, 41, mais la Vulgate écrit : *promptum* (*prothumos*), que Tertullien connaît aussi (*Mart.*, 4, 1 ; *Mon.*, 14, 6 ; *Pat.*, 13, 7).

caro terrena materia est, spiritus uero caelestis : le couple est paulinien (*I Cor.* 5, 3 ; 7, 34 ; *II Cor.* 7, 1 ; *Col.* 2, 5), mais a ses racines dans l'anthropologie du judaïsme hellénistique (IV *Macc.* 7, 18 ; PHILON, *Quod deus immut.*, 143 ; *Sag.* 1, 4. Cf. E. SCHWEIZER, « Röm. 1, 3 f. und der Gegensatz von Fleisch und Geist vor und bei Paulus », *Evangelische Theologie* 15, 1955, p. 563-571). Épicure plaçait dans le corps l'origine de toutes les sensations et dans le plaisir sensible la racine de tout bien (E. BRÉHIER, *Histoire de la philosophie*, I, 2, Paris⁸ 1967, p. 315). Dans la polémique engagée par les Platoniciens, les thèses épicuriennes furent grossièrement travesties au moyen d'un dualisme des plus réducteurs : la matière (*sarx*) dont est faite le corps (*sôma*) devint la désignation par excellence du mal moral et les Épicuriens furent accusés de rechercher les plaisirs charnels les plus vils. La chair devint le siège des passions (Diogène Laërce, 10, 145 ; Plutarque, *Mor.*, 101 B ; Philon, *Abr.*, 164), l'opposition de la chair et de l'esprit l'expression du combat moral. Cf. *I Pierre* 2, 11 ; *I Jn* 2, 16. Tertullien s'inscrit dans cette ligne de pensée, qui convient bien à son pessimisme et à son rigorisme. Cf. J. Klein, *Tertullian*, p. 233 ; d'Alès, *o.c.*, p. 459-461, Braun, *o.c.*, p. 300-304 ; S. Vicastillo, « La caro infirma en la antropologia de Tertuliano », *Espiritu* 26, 1977, p. 113-120.

3. aetatis officia : on peut hésiter sur le sens à donner à l'expression. Faut-il comprendre : les fonctions sexuelles (cf. *Vx.*, II, 3, 6 : *officia sexus*), ou bien : celles de l'âge mûr, cf. *I Cor.* 7, 36, ou encore : celles qui correspondent à leur âge ? L'auteur de la *IIe à Timothée* recommande aux jeunes veuves de se remarier, parce que la continence leur serait trop difficile à observer. Pour les Anciens, la fleur de l'âge va de la vingtième à la quarantième année chez les femmes : Platon, *Rép.*, 460 a.

decoris messem : Tertullien affectionne cette image ; cf. *Cult.*, II, 3, 1 ; *Pud.*, 16, 12.

praemissis : équivalent de *defunctus* ; cf. Sen., *ep.*, 99 : *quem putas periisse, praemissus est.*

sanctitati anteponunt : le passage est significatif du glissement opéré par Tertullien du sens de vertu qui contribue à rendre saint (*hagiasmos*) à l'équivalence établie entre pureté de vie (entendue au sens de l'abstinence sexuelle) et sainteté. (J. Bugge, *Virginitas*, The Hague 1975, p. 67-70).

4. Deo nubere : l'usage d'appliquer des métaphores nuptiales aux relations entre l'âme et les êtres spirituels célestes, voire avec la divinité elle-même, n'est pas inconnu du paganisme. La rencontre de l'âme et de l'ange remonte à la doctrine mandéenne de la *dmuta* et à celle de la *daena* iranienne (J. É. Ménard, L'*Évangile selon Philippe*, Paris 1967, p. 11). D'autres courants sont venus renforcer cette conception, notamment la tradition vétéro-testamentaire qui représente l'union de Yahvé et de son peuple Israël sous la forme d'une union conjugale, le concept de l'*Hieros gamos* des religions à mystères, l'image des noces de l'âme, évoquée dans le Banquet de Platon. La littérature paléochrétienne, marquée d'influences gnostiques, développe avec complaisance ces différents thèmes nuptiaux (*Odes de Salomon* 3, 42 ; *Actes de Thomas*). Les commentaires du Cantique des Cantiques (F. OHLY, *Hohelied-Studien*, « Grundzüge einer Geschichte der Hoheliedsauslegung des Abendlandes bis zum 1200 », Wiesbaden 1958) et de *I Cor.* 11, 2 ont contribué, pour leur part, à fixer les conceptions de l'âme *sponsa Christi* et de ses divines épousailles. Tertullien l'aborde aussi en *Cult.*, II, 13, 7, où l'expression est encore plus audacieuse : *Deum habebitis amatorem*. Cf. *Or.*, 22, 9 ; *Virg.*, 16, 4.

diebus ac noctibus : ablatif de durée, au lieu de l'accusatif (A. BLAISE, *Manuel du Latin chrétien*, p. 91 ; Löfstedt, ZST, p. 51).

dignationem uelut munera maritalia : Tertullien file sa métaphore matrimoniale, à propos des vierges chrétiennes, épouses de Dieu. Leur union est parfaite, dans un partage de tous les instants. Et dans un admirable échange, aux prières offertes à Dieu comme une dot et à lui confiées comme à leur Seigneur et maître, correspond le don de sa grâce, comme un cadeau de mariage. Tertullien ne glisse-t-il pas ici une allusion à *I Cor.* 7, 3 ?

5. compensatione : terme technique emprunté au monde du négoce : balance d'un compte ou solde. Somme représentant la différence entre le débit et le crédit, que l'on ajoute au plus faible des deux pour égaliser les totaux.

6. insufficientiam : néologisme. Dans sa lettre à Furia (*ép.*, 54, 15), saint JÉROME commente avec verve ce qu'il considère comme autant de vains prétextes avancés par les jeunes veuves, incapables de supporter la solitude : « Mon petit domaine dépérit de jour en jour ; les biens que j'ai hérités se dissipent ; mon domestique m'a adressé des propos irrespectueux ; ma servante ne tient nul compte de mes ordres. Qui me représentera en jus-

tice ? Qui se chargera de payer mes impôts fonciers ? Qui s'occu-
pera de l'éducation de mes jeunes enfants et de la discipline
de ma maisonnée ? » Tout cela relève de la concupiscence de
la chair, estime le moraliste, de la concupiscence du monde,
déclare Tertullien. Même son de cloche chez Origène. Voir
l'Introduction, p. 29-32.

incubare : être couché, étendu sur. Servius glose : *incubare
proprie dicitur per uim rem alienam uelle tenere* (*Aen.*, I, 89).
« Un vieillard se fait tort et aux siens de couver inutilement
un grand tas de richesses », Montaigne, *Essais*, II, 76.

cultum : Tertullien distingue dans la toilette féminine (*habitus*)
la parure (*cultus*), qui concerne les bijoux et le vêtement, et
les soins de beauté (*ornatus*) relatifs aux soins cutanés et capil-
laires ; *Cult.*, I, 4 ; *Or.*, 21. Cf. Turcan, *o.c.*, p. 28.

sumptum, quem non sentias, caedere : la leçon de l'*Agobardinus* offre un sens recherché, mais satisfaisant. Les *recc.* semblent représenter un essai de glose, faute d'avoir compris l'image
de *caedere*.

7. fidelis : le croyant (*pistos*) par opposition à *infidelis*, le non-
croyant. Couple symétrique à *christianus*/*gentilis*. *Vx.*, II, 2, 1.
Cf. Braun, *o.c.*, p. 444.

nisi si : a souvent un sens ironique chez l'auteur ; Hoppe,
Beitr., 130.

pondere... taedia : emploi du neutre pluriel à valeur d'adjectif.

non Gallicos mulos : posséder un attelage de mules et des porteurs de belle prestance, exotiques, de préférence, Syriens, Cappa-
dociens, Gaulois ou Germains, fait partie du luxe des femmes,
d'après Martial, II, 62. Cf. *Vx.*, II, 8, 3. La conjecture est
de Rhenanus ; Rigault préfère *Gallicos multos*, proche de l'*Agobardinus*, et renvoie à Clément d'Alexandrie, *Paed.*, III, 27, 2.

sufficientiam : première attestation chez Tertullien ; Hoppe,
Beitr., 140. Est-ce un calque de *II Cor.* 3, 5 : *ikanotès* ?

V 1. adiciunt : le terme est fréquemment employé par Tertullien, avec le sens d'ajouter. La conjecture de Kroymann : *addicunt*, ne s'impose pas.

causas nuptiarum : une fois de plus, Tertullien semble viser aussi bien le mariage comme tel que le remariage de la veuve. Cf. M. Turcan, « Le mariage en question ? ou les avantages du célibat selon Tertullien », *Mélanges Boyancé*, Rome 1974, p. 711-720. — Ici il déconseille aux chrétiens de se charger d'une progéniture, dont les soins constants détournent du salut et éloignent des choses du ciel ; cf. *Cast.*, 12 ; *Mon.*, 16.

serere : la leçon des *recc.* semble préférable. La méprise de *A* : *gerere* n'a-t-elle pas été provoquée par un graphisme voisin (une semi-onciale italienne ou africaine du VIe-VIIe siècle, par exemple) et l'influence rémanente de *gestiamus* ?

praemittere : déjà l'apologiste Aristide écrivait que les chrétiens se réjouissent d'avoir des enfants, mais s'ils en perdent un en bas âge, ils remercient le Seigneur de ce qu'il a pu traverser sans péché l'épreuve de la vie terrestre (ed. Geffcken, p. 232) ; cf. Cyprien, *ép.*, 4. Le point de vue de Tertullien se fonde sur une conception également pessimiste, celle d'un monde de péché (*iniquissimo isto saeculo*) et des épreuves eschatologiques imminentes. Ces considérations confèrent tout son poids au dernier argument, celui de « l'unique nécessaire » : un chrétien doit se consacrer tout entier à l'œuvre de son salut personnel.

2. legibus coguntur : que l'on admette les conjectures de Rhenanus : *coguntur* (1528), ou *locantur* (1539), ou la leçon des *recc.* : *coluntur*, on a ici une nouvelle allusion aux lois caducaires augustéennes ; cf. *Vx.*, I, 1, 3 ; *Cast.*, 12, 5.

parricidiis : pour désigner l'avortement et l'infanticide, Tertullien utilise le terme *parricidium*, réservé alors au meurtre d'un proche parent (Th. Mommsen, *Römisches Strafrecht*, p. 613). La condamnation des pratiques abortives est un thème commun de l'apologétique chrétienne, qui fustige aussi la coutume de l'abandon des nouveaux-nés (J. F. Dölger, *AC* 4, 1904, p. 1-61 ; J. H. Waszink, *Abtreibung*, *RAC* I, p. 55-60 ; P. Sardi,

L'aborto ieri e oggi, Brescia 1976, p. 65-100). TERTULLIEN est revenu plus d'une fois sur ce thème, notamment dans le *De anima*, 25, où il commente *Ex.* 21, 22-25 (LXX) et examine la question de l'avortement dit « thérapeutique » ; cf. WASZINK, *o.c.*, p. 328.

expugnantur : supprimer, éliminer ; Tertullien reprend la même image en *Virg.*, 14, 3 : *debellatos... infantes.* KELLNER suggérait de lire : *expunguntur* et y voyait une allusion à l'*aeneum spiculum*, utilisé en vue de manœuvres abortives (*BKV* 7, p. 67) ; cf. *An.*, 25, 5.

expeditionis : accomplissement (des prophéties), d'après BLAISE, *o.c.*, p. 331. Mais Tertullien ne joue-t-il pas ici sur les divers sens du terme ? Ne prépare-t-il pas la métaphore militaire du grand rassemblement de la fin du monde, auquel seules les veuves pourront se présenter sans bagage inutile, *expeditae*, sans les fardeaux encombrants que sont des enfants ?

3. sarcina : illustration particulièrement expressive de *Matth.* 24, 19. Tertullien ne manifeste aucune indulgence envers les enfants, aucune sympathie, mais avec une sorte de « hargne » (TURCAN, *art. cit.*, p. 717), « il cite sans cesse le *Vae praegnantibus*, pour détourner les femmes d'en avoir, ou même les en dégoûter » ; cf. *Mon.*, 16, 5).

4. nubebant et emebant : allusion à *Lc* 17, 27 et 28, où il est question non seulement de l'époque de Lot, mais aussi de celle de Noé. Le rapport à Sodome et Gomorrhe est des plus ténus, mais il est clair que Tertullien tient à placer son allusion aux vices que la Bible impute aux habitants de ces villes. Du reste, il y revient souvent dans ces écrits ; cf. BARNES, *o.c.*, p. 216.

quid ergo fiet ? Tertullien n'explicite pas sa pensée ; il laisse au lecteur le soin de répondre : « Mais qu'adviendra-t-il donc, si les vices qui depuis toujours sont en abomination devant Dieu (continuent d'être commis... ? — Certes, le feu du ciel détruira les cités pécheresses »). D'où l'invocation : *Ab iis nunc nos arceat* (s.e. : *Deus*) ! Cf. *Paen.*, 3, 2 ; *a quo Deus arceat...* On pourrait comprendre aussi, avec Kroymann : *Ab iis nunc nos arceat* (*tempus*).

tempus in collecto est : citation particulièrement chère à Tertullien (une bonne dizaine de références) ; la Vulgate écrit : *tempus breve est* (RÖNSCH, *o.c.*, p. 673).

VI 1. parentant : le terme est emprunté à la langue liturgique païenne : offrir un sacrifice, célébrer une cérémonie funèbre en l'honneur d'un mort ; apaiser les mânes de quelqu'un.

2. lauacro : bain, action de se laver, purification. En latin chrétien, synonyme de *baptisma, baptismus, intinctio*. Cf. TEEUWEN, *o.c.*, p. 47 s.

carnem suam obsignant : marquer d'un sceau, mettre les scellés sur ; image expressive, pour évoquer le propos de continence perpétuelle. Cf. *Cult.*, II, 9, 7 : *se spadonatui obsignant*, commentant *Matth.* 19, 12.

3. plane : fréquemment employé par Tertullien, pour introduire un développement ironique ; HOPPE, *Syntax und Stil*, p. 112.

Romae quidem : le collège des Vestales (quatre, puis six) avait pour fonction première d'entretenir le feu sacré. Les aspirantes à cette charge prestigieuse entraient dans le ministère entre six et dix ans ; elles devaient l'exercer pendant trente ans et étaient astreintes à une exacte chasteté. Le collège dura plus de mille ans ; il fut supprimé par Théodose, en 389.

ignis illius inextinguibilis : Tertullien voit dans le feu sacré gardé par les Vestales l'image du feu inextinguible réservé au démon et à ses sectateurs, d'après *Mc* 9, 44.

cum ipso dracone curantes : PAULIN DE NOLE, *Carm.*, 32, 143 s., rapporte l'opinion selon laquelle les Vestales nourrissaient un dragon : *Vestae quas virgines aiunt | Quinquennis epulas audis portare draconi | Qui tamen aut non est, aut si est, diabolus ipse est | Humani generis contrarius antea suasor*. Tertullien y voit le Dragon satanique, selon l'exégèse de *Ps.* 91, 3, *Is.* 27, 1 ; cf. *Gen.* 3, 1 et *Apoc.* 20, 2.

4. Aegium oppidum : lieu de naissance supposé de Zeus, nourri par la chèvre (*aix*) Amalthée. On y vénérait une statue de Héra (= Junon), dont le culte était réservé aux femmes ; cf. PAULY-WISSOWA, art. « Aegium ».

sortitur : sens passif ; cf. *Apol.*, 2, 8 ; HOPPE, *Synt.*, p. 62.

insaniunt : la Pythie de Delphes était censée rendre ses oracles sous l'empire de la divinité ; comme l'étymologie platonicienne faisait dériver *manteia* (la divination) de *mania* (le transport divin résultant de l'inspiration) — cf. *Phèdre* 244 b s ; *Timée* 71 e - 72 b ; *Ion* 522 è - 534 e —, les chrétiens ne manquèrent pas d'attribuer au désordre mental, au délire de l'esprit provoqué par des influences démoniaques, les vaticinations de la Pythie. ORIGÈNE, *Contre Celse*, VII, 3 et 5 ; JEAN CHRYSOSTOME, In *Cor.*, hom., 29, 1.

nubere nesciunt : c'est une conception largement répandue dans les cultes de l'Antiquité qu'une femme devenue digne d'approcher un dieu doit s'abstenir de relations conjugales avec un homme. E. FEHRLE, *Die kultische Keuschheit im Altertum*, p. 7 et 75.

Africanae Cereri : dès l'époque augustéenne on observe en Afrique une identification entre la Cérès africaine, autrefois empruntée aux Grecs, et Isis. J. BAYET, *Histoire politique et psychologique de la religion romaine*, 2e éd., Paris 1973, p. 205. — Les fidèles de Cérès se préparaient au *sacrum anniversarium* de la déesse en se privant de pain et de vin pendant neuf jours. Le *castus Cereris* comportait, en outre, l'obligation de garder la chasteté, pour se trouver en état de pureté rituelle ; il est concevable que la prescription momentanément obligatoire pour les fidèles ait été perpétuelle pour les prêtresses. Cérès était donc la déesse chaste par excellence, comme *Bona Dea* ; cf. JUVÉNAL, VI, 50 ; 165 ; OVIDE, *am.*, III, 10, 1-6 ; 15-16 ; *met.*, X. 433. E. LE BONNIEC, *Le culte de Cérès à Rome des origines à la fin de la République*, Paris 1958, p. 406-412. G. WISSOWA, *Religion und Kultus des Römer*, Munich 1912, p. 301. — TERTULLIEN reprend ces *exempla* en *Cast.*, 13 et *Mon.*, 17.

filiorum : d'après Quintilien 9, 3, 63 : *cum marem faminamque filios dicimus*, le terme pourrait désigner les enfants des deux sexes, mais l'insistance est ici sur la nécessité d'éviter tout contact masculin ; cf. *Cast.*, 13, 2.

5. diabolus : grécisme de l'Itala (Rönsch, p. 333). Le terme remonte à la Septante, qui rendit ainsi l'hébreu : Satan, en lui donnant le sens de l'Adversaire par excellence, celui qui cherche à séparer l'homme de Dieu (*diaballo*). Cf. *ThWB* II, 71. Pour Tertullien, le Diable est le prince des puissances démoniaques. Celles-ci rassemblent les anges pervertis, qui se sont « précipités du ciel vers les filles des hommes » (*Cult.*, I, 2, 1), et leur descendance (*Apol.*, 22 ; *Virg.*, 7 ; *Idol.*, 9 ; *Marc.*, V, 8, 18). Animé d'une fureur jalouse, Satan en veut tout particulièrement à la nature humaine affranchie par le baptême. Prince de ce monde, il a séduit les païens par toutes les formes de la divination et des cultes rendus aux faux dieux (*Apol.*, 23), qui imitent à s'y méprendre, parfois, les mystères et les coutumes de la religion chrétienne (*Cor.*, 15 ; *Praescr.*, 40). Cf. d'Alès, *o.c.*, p. 153-161 ; J. Fontaine, « Sur un titre de Satan chez Tertullien : Diabolus interpolator », dans *SMSR* 38, 1967, p. 197-216.

VII 1. indumento incorruptibilitatis : allusion à *I Cor.* 15, 53 et *II Cor.* 5, 2 ; cf. *Cult.*, II, 6, 4.

ad sustinendam nouissime : plusieurs traductions seraient possibles : a) la continence permet d'attendre, d'espérer, avec une plus grande assurance l'accomplissement de la volonté de Dieu, qui se manifestera à la fin des temps (Le Saint, *o.c.*, p. 121) ; b) la continence permet de réaliser, dès à présent, la volonté plénière, véritable de Dieu. C'est le sens vers lequel conduit le développement qui suit. Cf. *Cast.*, 3, 4.

2. per dei uoluntatem : Tertullien recourt souvent à cet argument, qui relève du chantage au divin.

3. etsi non delinquas renubendo ; la déclaration mérite d'être sou-

lignée ; Tertullien modifiera son opinion dans ses écrits montanistes (*Cast.*, 9 ; *Mon.*, 9)

pressuram : allusion à *I Cor.* 7, 28, où Paul parle des vierges
et des célibataires, qui connaîtront les tracas de la vie conjugale,
s'ils se marient.

4. disciplina ecclesiae : le passage est bien de nature à illustrer la
célèbre proposition de *Praescr.*, 43, 2 : *doctrinae index disciplina
est*. Les règles de vie, les préceptes et les rites de l'Église explicitent
sa doctrine sur tel point. *Disciplina* est l'un des vocables les
plus chers qui soient à Tertullien (319 emplois recensés). Il a
donné lieu à de nombreuses études (signalées par BRAUN, *o.c.*,
p. 419-421 ; 423-426), notamment de la part de H.-I. MARROU
et de V. MOREL.

digamos : allusion à *I Tim.* 3, 2 et 12, et *Tite* 1, 6. Outre l'interdiction relative à la bigamie successive, les églises ne manquèrent
pas de reprendre les interdits vétéro-testamentaires concernant
la bigamie interprétative (*Lév.* 21, 7 et 14) : les prêtres ne devaient
pas non plus épouser une femme veuve, divorcée ou prostituée.
Cf. P. HINSCHIUS, *System des katholischen Rechts*, I, Berlin 1869,
p. 23-26.

adlegi in ordinem : l'existence de « collèges » de veuves est
attestée dès l'époque subapostolique dans les communautés
chrétiennes ; l'accès à ces corps privilégiés est soumis à des
conditions fixées par l'autorité ecclésiastique : *I Tim.* 5, 3 et 9 ;
Tite 2, 3. A l'époque de Tertullien, la réception dans l'*ordo*
des veuves n'est pas effectuée par une *ordinatio*, au sens fort
du terme. Cf. *Tradition apostolique*, 10 : « on ne lui imposera
pas la main, parce qu'elle n'offre pas l'oblation et n'a pas de
service liturgique. Or l'ordination se fait, pour les clercs, en
vue du service liturgique. La veuve, elle, est instituée pour
la prière, qui est (le rôle commun) de tous » (éd. Botte, Munster
1963, p. 31).

uniuiram : allusion à *I Tim.* 5, 9, qui exige en outre un âge
avancé (soixante ans). Au milieu du IIe siècle, on accueille aussi
dans l'ordre des veuves des jeunes femmes, qu'elles aient été

mariées ou non. IGNACE D'ANTIOCHE, *Smyrn.*, 13, 1, parle des vierges appelées veuves ; TERTULLIEN, *Virg.*, 9, 2, mentionne le cas d'une vierge entrée dans l'ordre des veuves dès l'âge de vingt ans (cf. J. VITEAU, « L'institution des diaconesses et des veuves », *RHE* 22, 1926, p. 513-537 ; L. BOPP, *Das Witwentum der alten Kirche*, Regensburg 1960).

candida : adjectif substantivé : la toge blanche du candidat aux dignités officielles ; cf. RÖNSCH, *o. c.*, p. 638. Par métonymie, honneur, dignité, prestige (cf. *Cor.*, 1, 3 ; *Marc.*, IV, 7, 13 ; V, 20, 6). Le mot peut aussi prendre la signification d'espoir, attente (*Cor.*, 1, 3 ; *Marc.*, IV, 34, 14 ; *An.*, 58, 2). Même raisonnement dans la lettre du pape Sirice aux évêques d'Afrique, citée par le concile de Thela (24 février 418) ; cf. C. MUNIER, *Concilia Africae*, p. 60.

5. caelibatuum : c'est la leçon qui semble sous-tendre les manuscrits ; Kroymann propose *caelibalium*, qu'il faudrait substantiver.

pro diaboli aemulatione : le thème du diable, rival de Dieu, falsificateur de toute vérité, qui fait du *saeculum* le royaume du mensonge, est familier à Tertullien, cf. BRAUN, *o.c.*, p. 33 ; FONTAINE, « Diabolus interpolator », *SMSR* 38, 1967, p. 167-216.

Pontifex Maximus : institué, selon la tradition, par Numa, le P.M. a la haute main sur le foyer public, le calendrier et les fêtes, le choix des Vestales et du *flamen dialis*, la discipline sacerdotale, la surveillance des religions familiales et le culte des morts (J. BAYET, *Histoire politique et psychologique de la religion romaine*, Paris 1973, p. 101). Auguste se fit revêtir de cette dignité par les comices ; ses successeurs, dès leur avènement, se déclarèrent grands pontifes, mais ils ne se considèrent pas liés par les règles restrictives obérant la fonction du P.M., ne pas quitter l'Italie, ne pas regarder de cadavre, ne pas se remarier ; cf. PAULY-WISSOWA, *ad uerbum*.

affectat : le diable contrefait les sacrements des chrétiens, le baptême (*Bapt.*, 5, 3 ; *Praescr.*, 40, 3), la confirmation (*Praescr.*,

40, 4), l'eucharistie (*ibid.*), le martyre (*ibid.*, *Cor.*, 15, 3 : *quasi mimum martyrii*), à propos des rites du culte de Mithra. Cf. *Cast.*, 13 ; *Mon.*, 17 (D'ALÈS, *o.c.*, p. 159).

I 1. uenite ; disputemus : citation d'*Is.* 1, 17-18 ; Tertullien et la Septante sont plus proches de l'original hébreu que la Vulgate : *uenite, arguite me* ; cf. *Is.* 43, 26.

2-3. operosius... laboriosior : l'antithèse de la vierge et de la veuve conduit Tertullien à faire ressortir l'effort personnel et le mérite qui en résulte pour cette dernière. Ce n'est pas à dire qu'il ignore la nécessité de la grâce divine, même dans une sentence aussia brupte que : *quaedam sunt diuinae liberalitatis, quaedam nostrae operationis* (§ 3), qui semble opposer l'absolue gratuité du don de la chasteté parfaite, à l'œuvre difficile de la viduité. Cf. J. RIVIÈRE, art. « Mérite », *DIC* 10, 619-623.

3. modestiae : Tertullien aime à évoquer la retenue, les mœurs réservées, les habitudes de simplicité de la Rome antique. Il dénonce tout particulièrement les raffinements de la table, le luxe vestimentaire, le train de vie insolent (*Apol.*, 6 ; *Pal.*, 4). C'est là un thème commun des moralistes et des satiriques latins qui voient dans l'émancipation de la femme la cause première de la décadence des mœurs (J. CARCOPINO, *La vie quotidienne à l'apogée de ...Empire*, Paris 1972, p. 112-124).

4. Bonos corrumpunt mores... : Tertullien répète cette citation de Ménandre (*I Cor.* 15, 33) en *Vx.*, II, 3, 4, où il se tient plus près de la version africaine : *conrupunt ingenia bona confabulationes pessimae* (VON SODEN, *Das lateinische Neue Testament in Afrika zur Zeit Cyprians*, Leipzig 1909, p. 98) ; cf. O'MALLEY, *o.c.*, p. 9-11.

loquaces, otiosae, uinosae : emprunts à *I Tim.* 5, 13. Le fait mérite d'être souligné, car Tertullien ignore résolument le verset précédent, qui contredit en termes exprès la thèse du premier livre de l'*Ad uxorem*.

ingerunt : la conjecture de Kroymann semble s'imposer, car *inrepere* n'a jamais le sens transitif chez Tertullien.

5. uniuiratus : néologisme ; HOPPE, *Beiträge*, p. 140.

si ita euenerit : si prior te fuero uocatus ; cf. *Vx.*, I, 1, 1.

LIVRE II

1. proxime : le deuxième livre a dû suivre de près le premier.

diuortio uel mariti excessu : Tertullien semble mettre ici sur le même plan le remariage après divorce et le remariage d'une veuve. Comme il ne précise pas les conditions dans lesquelles ont eu lieu les *divortia* qu'il a ici en vue, on en est réduit à des conjectures, quitte à éclairer ce passage par d'autres, où l'auteur expose clairement son avis. D'après l'argument de *Vx.*, II, il serait logique de songer à des chrétiennes converties du paganisme et mariées, avant leur conversion, à un païen qui n'aurait pas consenti à cohabiter pacifiquement aux termes de *I Cor.* 7, 12-14. Mais rien n'est moins sûr. L'auteur vise-t-il le cas de chrétiennes divorcées d'époux adultères, comme en *Marc.*, IV, 34, 4-7 ? Ce dernier passage est également l'objet de discussions infinies. Cf. H. CROUZEL, *L'Église primitive face au divorce,* Paris 1971, p. 94-108 ; *contra,* G. CERETI, *Divorzio, nuove nozze e penitenza nella chiesa primitiva,* Bologna 1977, p. 194-196. Dans *Mon.*, 11, 10, Tertullien souligne que *I Cor.* 7, 39 ne concerne que les femmes qui sont libres *per mortem utique, non per repudium facta solutione,* et il rappelle *I Cor.* 7, 10-11.

2. procliuium... labendi ab altioribus : la tradition textuelle est flottante. La leçon des *recc.* offre un sens satisfaisant et se recommande par la meilleure clausule finale, observe Kroymann. L'*Agobardinus* écrit : *cauendi ablationem,* ce qui oblige à considérer *procliuium* comme un adjectif rattaché à *nuptiarum* : en évoquant (la possibilité) de noces faciles, je t'inciterais à ne plus te tenir sur tes gardes. Mais *cauendi ablationem* n'est-il

pas une leçon erronée de *labendi oblationem* ou *cadendi oblationem* ?

numquam : conjecture voisine de celle de Kroymann, *nequa-
quam*. Les manuscrits écrivent *quam*, ce qui implique l'ellipse
du comparatif *magis*.

II 1. nuptias suas de ecclesia tolleret : c'est tout le problème de l'intervention de l'Église dans le mariage des fidèles qui est soulevé
ici. Voir *Introduction*, p. 41. Cf. *Vx.*, II, 8, 2 : quod ecclesia
conciliat ; *Pud.*, 4.

ac gentili coniugeretur : il s'agit d'une chrétienne qui épouse un
païen, mais est-ce en premières ou en secondes noces ? Si l'on
voit dans le passage qui ouvre le traité : *quarumdam exemplis
admonentibus...* une anticipation du cas présent, on songera
à une femme divorcée d'un époux païen, après s'être convertie
au christianisme, et remariée à un païen en secondes noces.
Tertullien fait porter tout le poids de son argumentation sur
I Cor. 7, 12-14, mais le raisonnement de ses adversaires (rappelé
en *Vx.*, II, 2, 2) consiste précisément à étendre à tous les « mariages mixtes » (déjà conclus ou à conclure) le bénéfice de *I Cor.*
7, 12-14.

consiliariorum : vraisemblablement des membres du clergé local :
presbytres, didascales, puisque l'auteur parle de forfaiture de
leur part, dans la mesure où ils interprètent les Écritures à
contresens.

praeuaricationem : on se souviendra des définitions du Droit
romain : *Dig.*, 48, 16, 1, 1 : *Calumniari est falsa crimina intendere,
praeuaricari uera crimina abscondere, tergiuersari in uniuersum
ab accusatione desistere* ; *ibid.*, 6 : *Praeuaricatorem eum esse
ostendimus qui colludit cum reo et translatitie munere accusandi
defungitur, eo quod proprias quidem probationes dissimularet,
falsas uero rei excusationes admitteret* (Marcien).

fidelibus iunctis : nous retenons la leçon de l'*Agobardinus* :
les adversaires de Tertullien appliquent le texte paulinien à

tous les chrétiens mariés à des non-chrétiens ; c'est pourquoi ils autorisent aussi les « mariages mixtes ».

2. simpliciter : *v.s. Vx.*, I, 2, 2.

3. de fideli ante matrimonium : la leçon des *recc.* semble préférable ; elle est reprise, en effet, en *Vx.*, II, 2, 7 : *ante nuptias fidelem.* Le texte de l'*Agobardinus* pourrait être restitué dans le même sens, en admettant la conjecture de Kuijper : *de fidelium ante matrimonio, art. cit.*, p. 248.

absolute : d'une manière générale, sans aucune exception ni restriction ; cf. *Mm.*, 14, 1 ; *Or.*, 21, 3. Waszink, *o.c.*, p. 370.

pronuntiationem : emprunt au vocabulaire juridique, où il signifie : arrêt, décision du juge. Tertullien emploie ce terme avec prédilection. Il l'utilise afin de souligner le caractère d'autorité (légale) surnaturelle, qui s'attache aux livres saints (Braun, *o.c.*, p. 462 ; Aziza, *o.c.*, p. 221).

4. retractandum : le verbe et le substantif correspondant (*retractatus*) ont deux significations essentielles chez Tertullien : examiner de près, considérer ; cf. *Vx.*, I, 1, 6 ; 8, 5 - et : mettre en doute, discuter, comme ici. Waszink, *o.c.*, p. 112.

de quo... cecinit : Kroymann voudrait éliminer ces mots, où il voit une glose passée dans le texte. Le sens paraît appeler la conjecture de Rhenanus : *apostolus (cecinit)*. On pourrait aussi défendre la leçon : *spiritus cecinit* ; cf. R. Braun, « Tertullien et l'exégèse de *I Cor. 7* », dans *Epektasis*, p. 25, n. 28, en admettant que l'auteur identifie l'Apôtre et l'Esprit qui s'exprime par son intermédiaire.

tantum in Domino : l'interprétation de Tertullien est assurément conforme à l'exégèse traditionnelle du verset (Voir Introduction, p. 40). Mais le fait de recommander un mariage entre chrétiens n'admet-il aucune exception ? Ce qui est primordial aux yeux de l'Apôtre, est-ce l'interdiction d'épouser un païen ou le souci de voir les chrétiens préserver leur foi ? Si l'époux non chrétien respecte les convictions religieuses du conjoint, le but du précepte paulinien n'est-il pas atteint ?

apostolus sanctus : conjecture de Rhenanus, justifiée par la phrase qui suit : *qui nos ad exemplum sui hortatur* ; Kroymann propose de lire : *ille igitur sanctus.* Il est vrai que l'abréviation aps n'est point attestée avant le IXe siècle ; A. CAPPELLI, *Dizionario di abbreviature latine ed italiane,* Milano 1954, p. 20.

formam : règle générale, loi ; cf. WASZINK, *o.c.,* p. 101.

5. sui breuitate facunda : antithèse recherchée ; la *facundia* étant la facilité et l'abondance du discours, marques suprêmes de l'éloquence, il est piquant d'en attribuer la force à un mot unique : *tantum.*

diuina uox : Tertullien emploie *uox* pour tel passage de la Bible et désigne celle-ci, considérée dans son ensemble, par le pluriel *uoces* (BRAUN, *o.c.,* p. 462). Ici *uox* est employé au sens le plus général : la parole de Dieu.

6. inquinamentum : correspond à *molusmos* de *II Cor.* 7, 1 (souillure de la chair et de l'esprit), et à *akatharsia* de *Deut.* 7, 26 (chose abominable : idole), dans la Vulgate.

7. eum : Tertullien emploie le masculin pour désigner tous les mariages mixtes, aussi bien ceux des hommes que des femmes ; cf. *Pat.,* 12, 5 *non alterum adulterum facit.*

8. si spiritus dederit : allusion à *I Cor.* 7, 40. Dans le *De corona* 4, 6, Tertullien souligne qu'en matière d'observances et de discipline, il revient à chaque fidèle d'imiter l'Apôtre, et de prendre une décision appropriée, en connaissance de cause, car chacun possède l'Esprit de Dieu, qui le conduit à la vérité plénière. C'est introduire le principe du libre examen, d'autant que le magistère est cantonné à un rôle de faire-valoir des opinions personnelles de l'auteur.

quam omnino disiungi : l'adverbe porte sur toute la sentence : il vaut mieux, de toute façon, ne pas contracter mariage que de se marier et de le briser ensuite. Affirmation paradoxale,

qui traduit l'estime de Tertullien pour l'indissolubilité ; cf.
Pat., 11-12 ; *Res.*, 39 ; *Marc.*, III, 11 ; *Pud.*, 19, 28 (D'ALÈS,
o.c., p. 372-375).

stupri causa : allusion à *Matth.* 5, 32 et 19, 9. La Vulgate écrit :
nisi fornicationis causa. Sur la tradition textuelle du verset
aux trois premiers siècles, voir H. CROUZEL, « Le texte patristique de Matthieu V, 32 et XIX, 9 », *NTSt* 19, 1972/73, p. 98-119.

9. deprehenduntur... deprehensi : allusion à *I Cor.* 7, 17, artifi-
cieusement rattaché à *I Cor.* 7, 14-16. Remarquable exemple
de la méthode exégétique strictement littérale, dans laquelle
Tertullien s'enfermera de plus en plus dans ses œuvres tardives.
Paul parle de la sanctification du conjoint païen dont le conjoint
se convertit : Tertullien en tire argument pour nier la possibilité
d'une sanctification dans tous les autres cas.

cum ipsis alii quoque sanctificantur : Tertullien ne précise pas
de quelle nature est la sainteté communiquée au conjoint non
croyant, d'après *I Cor.* 7, 14. Les commentateurs expliquent
qu'ici la « sainteté » désigne moins la sanctification intérieure
de l'âme que l'état de consécration ou d'appartenance à Dieu qui
en est la base : du fait de son union à un membre du peuple
saint, le conjoint non croyant est rattaché d'une certaine façon
au vrai Dieu et à son Église (*BJ*, p. 1516). Voir cependant
An., 39, 4, à propos de la sanctification des enfants nés de mariages mixtes ; D'ALÈS, *o.c.*, p. 265 ; WASZINK, *o.c.*, p. 444-447.

immundum : le passage est significatif du réalisme parfois outré
de Tertullien, « qui lui fait prendre toutes choses dans un sens
matériel, sinon matérialiste » (D'ALÈS, p. 247). — On notera aussi
l'obsession de la souillure communiquée par l'idolâtre ; la
souillure est transmise par simple contact matériel ; il en va
de même pour les objets qui ont été confectionnés ou utilisés
par les païens. AZIZA a souligné les « troublantes ressemblances »
qui existent entre le traité *de idololatria* de Tertullien et l'*Aboda
Zara*, un recueil de prescriptions rabbiniques sur la conduite
à tenir envers les idolâtres ; nombre de ces prescriptions, emprun-
tées à la Mischna et à la Tosephta, sont contemporaines de

Tertullien (*o.c.*, p. 177-186). Qu'il s'agisse d'influences plus ou moins directes ou d'élaborations indépendantes, point n'est besoin d'insister sur la mentalité « magico-religieuse » (*ibid.*, p. 183), qui inspire toutes ces conceptions et prescriptions.

III 1. **stupri reos :** le terme a souvent le sens large de fornication (*porneia*) chez Tertullien, parfois aussi celui de viol. Ces deux significations semblent implicites en ce passage, comme il apparaît dans la reprise un peu plus loin : *minus templum dei uiolat ?*, où domine cependant l'idée de profanation, de sacrilège.

arcendos ab omni communicatione fraternitatis : allusion à *I Cor.* 5, 11. Commentaire de G. FORKMANN, *The Limits of the Religious Community*, Lund 1972, p. 139-151. L'idée selon laquelle l'Église est une communauté sainte, qui doit exclure de son sein certains pécheurs, a des racines vétéro-testamentaires (*ibid.*, p. 16-34). Dès les origines chrétiennes, on voit appliquées soit l'exclusion définitive des pécheurs obstinés (*Matth.* 18, 17), soit l'exclusion temporaire, à des fins médicinales, en vue d'amener le pécheur à résipiscence (cf. *II Cor.* 2, 6-10 ; *II Thess.* 3, 14 ; POLYCARPE, *Ep. ad Phil.*, 11, 4).

tabulas nuptiales : *v.s. Vx.*, I, 1, 2.

adulterium : TERTULLIEN applique le terme, au sens large, à toute union d'une personne mariée avec un partenaire différent de son conjoint — vivant ou mort, affirmera-t-il dans le *De monogamia* 9, 4 !

stuprum : traduit généralement *porneia*. Le droit romain lui donne une signification précise : relations sexuelles d'un homme marié avec une femme de condition libre non mariée, ou de personnes non mariées entre elles, l'*adulterium* étant limité aux relations extraconjugales de personnes toutes deux de condition libre.

extranei hominis admissio : Tertullien joue sur les divers sens d'*extraneus* : d'une religion étrangère — ce qui lui permet d'assimiler le mariage mixte à une profanation sacrilège, grâce à l'allusion faite au Temple de Jérusalem (*Act.* 21, 28-29 ; *Éz.* 44,

9) ; étranger à la famille — ce qui autorise l'accusation d'adultère, avec allusion à *I Cor.* 6, 15. Mais on observera que Paul parle de la prostituée (*meretrix, pornè*). — *Admissio* peut avoir le sens concret de : « monte, saillie » ; cf. VARRON, *Res rusticae* II, 1, 18 ; 7, 1.

2. carnis iniuria : Tertullien explicite l'argument amorcé au paragraphe précédent par la citation de *I Pierre* 1, 19. Par le prix du sang versé, Dieu nous a acquis en pleine propriété ; nous sommes devenus sa chose, *res* ; il est, au sens propre du terme, notre *dominus*. Porter atteinte à une *res* relevant de la propriété quiritaire, c'est commettre un *damnum iniuria datum*, sanctionné par la *loi Aquilia* (*Dig.*, 9, 2).

omne delictum uoluntarium : l'Ancien Testament déjà distingue entre les délits commis « à main haute » (*Lév.* 15, 30), délibérément, qui n'admettent aucune rémission, et les péchés par inadvertance (*Lév.* 15, 22), pour lesquels sont prévus des rites d'expiation. Par contre, le stoïcisme enseigne l'égalité dans le mal de toutes les fautes, comme celle de toutes les vertus. Cf. CICÉRON, *Paradoxa ad M. Brutum, par.* III ; *Pro Murena*, XXIX-XXX ; *De finibus*, IV, 27). Les arguments des stoïciens étaient nombreux ; ayant défini la sagesse comme un absolu, ils affirmaient : on est ou sage, ou non sage, il n'y a pas de milieu. « Une chose est nécessairement juste ou injuste — de même qu'un bois est nécessairement droit ou tordu » (DIOG. LAËRCE, *De clarorum philosophorum uitis*, VII, 18). Cf. SPANNEUT, *o.c.*, p. 101, 242, 258. Tertullien transforme ici en un principe absolu un des critères d'évaluation de la gravité du péché, celui des personnes contre qui l'on pèche, dans la mesure où la gravité d'un péché se tire de l'objet de ce péché. Or tout péché implique une offense envers Dieu lui-même, nécessairement grave. Dans le *De pudicitia*, l'auteur établira une autre distinction entre fautes plus graves ou moins graves, selon que Dieu seul ou l'Église peut les remettre.

contumaciae crimine : il y a *contumacia* dans les actions, lorsque la résistance du défendeur est entachée de dol. Il revient au juge d'apprécier la *fides*, c'est-à-dire l'exactitude à remplir un engagement volontairement pris, par voie de comparaison à l'exactitude que met un honnête homme, un *bonus uir* à accomplir sa promesse. *Dig.*, 16, 1, 27 § 2 ; 46, 1, 54.

4. exstructionem : tout ce qui fait ressortir la beauté naturelle, la rehausse ; cf. *Cult.*, II, 13, 7 : *medicamentis et ornamentis exstructae*, qui renvoie à *cultae et expictae*, de 12, 1. Si l'on voit dans le terme une allusion plus précise aux soins de la coiffure, on songera aux édifices savants, à la mode sous le Haut-Empire ; cf. Juvénal, *Sat.*, VI, 502 : *altum aedificat caput* (Turcan, *o.c.*, p. 126-127, commentant *Cult.*, II, 7).

oculis Dei : l'idée est chère à la littérature sapientielle et prophétique ; cf. *I Rois* 15, 19 ; *Sir.* 10, 24 ; 11, 23 ; 17, 13 ; 39, 24 ; *Is.* 1, 16 ; 59, 15 ; 65, 12 ; 66, 4 ; *Jér.* 16, 17 ; 32, 30 ; *Job* 15, 16 ; 31, 4. Cf. *Paen.*, 3, 9.

IV 1. diaboli seruum : par antithèse à *seruus Dei*, qui désigne les chrétiens ; *v.s. Vx.*, I, 5, 1.

statio : réunion cultuelle, d'abord sans célébration eucharistique, consacrée à des exercices communs de pénitence ; Ch. Mohrmann « Statio », *Vigiliae christiana* 7, 1953, p. 221-245, repr. *Études sur le latin des chrétiens*, 3, Rome 1965, p. 307-330). L'usage apparaît déjà dans Hermas, *Sim.*, 5, 1, 1-2 ; elles avaient lieu régulièrement le mercredi et le vendredi ; cf. *Or.*, 19, 5 ; 23, 4 ; *Iei.*, 10-14 ; *An.*, 48, 4 ; *Cor.*, 11, 3. — Pour l'évolution de cette pratique, voir J. Schümmer, *Altchristliche Fastenpraxis, mit besonderer Berücksichtigung der Schriften Tertullians*, Münster 1933, p. 123-150.

balneas : l'exigence du mari ne représente pas seulement un obstacle matériel aux exercices de la *statio*, mais elle oblige aussi à les enfreindre, car on ne se baigne pas ce jour-là, en signe de pénitence. Le Talmud atteste des prescriptions similaires pour les jours de deuil et de pénitence ; Schümmer, p. 75 ; cf. *Paen.*, 9, 4 : *corpus sordibus obscurare* ; 9, 6 : *cum squalidum facit* ; 11, 3.

ieiunia : les questions relatives au jeûne occupent une place importante dans l'œuvre de Tertullien. Il leur a consacré tout un traité, pour défendre le point de vue des Montanistes en ce domaine (d'Alès, *o.c.*, p. 475-476). A la suite de P. de Labriolle et de J. M. Ford, Cl. Aziza a signalé les ressemblances entre le Judaïsme et le Montanisme sur ce point (*o.c.*, p. 206).

procedendum : sens général de sortir, pour effectuer certaines démarches ou visites, qui seront détaillées au paragraphe suivant ; cf. *Cult.*, II, 11, 1-2.

2. nocturnis conuocationibus : Minucius Felix mentionne aussi de telles réunions nocturnes, consacrées à la prière, et sans célébration eucharistique (*Octauius*, 8, 4 ; cf. *Fug.*, 14, 1 : *habes noctem*). G. Esser « *Convocationes nocturnae* bei Tertullian *Ad uxorem* II, 4 », dans *Der Katholik* 95, 1916, p. 388-391 ; E. Dekkers, *Tertullianus en de geschiedenis der liturgie*, Brussel 1947, p. 113.

sollemnibus Paschae abnoctantem : à l'époque de Tertullien, la vigile pascale est célébrée la nuit du Samedi-Saint au dimanche de Pâques, en Afrique, et non le 14 Nisan (O. Casel, « Art und Sinn der ältesten christlichen Osterfeier », *Jahrbuch f. Liturgiewissenschaft* 14, 1938, p. 1-78 ; A. Chavasse, *Le sacramentaire gélasien*, Paris 1958, p. 87-139 ; 215-252 ; Schümmer, *o.c.*, p. 53-59).

conuiuium dominicum : c'est le terme paulinien : *I Cor.* 11, 20-33 ; pour les autres termes de l'Antiquité chrétienne désignant la messe, voir A. G. Martimort, *L'Église en prière*, Paris 1961, p. 251-256.

infamant : Pline le Jeune enquête sur l'innocence des repas sacrés pris en commun par les chrétiens. Les apologistes sont unanimes à repousser les griefs de cannibalisme et d'inceste liés à leurs liturgies. Tertullien évoque aussi l'accusation d'onolâtrie : *Nat.*, 1, 14 ; *Apol.*, 16, 12. Cf. Munier, *o.c.*, p. 130.

martyris : au sens large ; sur le couple : *martyr-confessor*, cf. D. Van Damme, « Martus-Christianos », *Freiburger Zeitschrift f. Ph. u. Th.*, 24, 1977, p. 286-303.

in carcerem reptare : en accomplissement du précepte de *Matth.* 25, 43 ; cf. ARISTIDE, *Apologétique*, 15 ; LUCIEN, *Peregrinus*, 12.

3. osculum : témoignage de la charité chrétienne, l'*osculum* était en usage dans l'Église ancienne, non seulement au cours des cérémonies du culte, mais aussi pour les salutations ordinaires ; cf. *Rom.* 16, 16 ; *I Cor.* 16, 20 ; *I Thess.* 5, 26, etc. (Kl. THRAEDE, « Ursprünge und Formen des heiligens Kusses im frühen Christentum », *Jahrbuch f. Antike und Christentum* 11/12, 1968/69, p. 124-180). Les commentaires malveillants ne manquaient pas non plus à ce sujet : cf. ATHÉNAGORE, *Leg.*, 32 ; CLÉMENT D'ALEXANDRIE, *Paed.*, III, 81.

aquam sanctorum pedibus offerre : allusion à *I Tim.* 5, 10. Ce rite de l'hospitalité antique (*Gen.* 18, 4 ; *I Sam.* 25, 41 ; *Lc* 7, 44) a pris une signification nouvelle dans le cadre de la célébration eucharistique, du fait de l'exemple donné par Jésus au soir du Jeudi-Saint (*Jn* 13, 1-7).

pereger frater : les devoirs de l'hospitalité chrétienne sont inculqués en de nombreux passages du Nouveau Testament, par exemple en *Matth.* 25, 31-46 ; *Hébr.* 13, 1-2 ; *I Pierre* 4, 7-11 ; *I Jn* 3, 17. Dans les communautés, ils sont surtout le fait de l'évêque (*I Tim.* 3, 2 ; *Tite* 1,8) et des veuves (*I Tim.* 5, 10). J. MARTY, « Sur le devoir chrétien de l'hospitalité aux trois premiers siècles », *RHPhR* 19, 1939, p. 288-295 ; H. BOLKENSTEIN, *Wohltätigkeit und Armenpflege im vorchristlichen Altertum*, Utrecht 1939 ; H. PÉTRÉ, *Caritas*, Louvain 1948, p. 241-266.

V 1. gentiles nostra nouerunt : Tertullien est l'un des premiers témoins de la discipline de l'arcane ; elle obligeait les chrétiens à garder le secret sur leurs usages sacrés et à réserver aux fidèles déjà formés la pleine connaissance des « mystères » : le baptême et l'eucharistie, en particulier (P. BATTIFOL, *Études hist. de théol. positive*, t. I, Paris 1926, p. 1-46 ; Article : « Arkandisziplin », *RAC* I, 667-676.

sub conscientia iniustorum : allusion à *I Cor.* 10, 29, où l'Apôtre revendique les droits de la conscience du chrétien dans la question des idolothytes : « Pourquoi ma liberté relèverait-elle du jugement d'une conscience étrangère ? » C'est le premier terme du dilemme, opposé par Tertullien aux mariages mixtes.

sine nostra pressura : allusion à *I Cor.* 7, 32 : un chrétien ne doit pas se tourmenter pour des motifs purement terrestres. C'est l'autre terme de l'alternative. Or, il ne sera possible à l'épouse chrétienne d'éviter ces tourments, que si elle évite d'informer de ses devoirs religieux son mari non chrétien, hostile à ces usages.

2. margaritas : Tertullien emploie ce mot aussi bien au neutre qu'au féminin ; voir Claesson, *ad verbum.*

signas : le signe de la croix, tracé sur soi-même, sur d'autres personnes ou sur des choses, comme une bénédiction ou une invocation apotropaïque, est attesté dès la seconde moitié du IIe s. (*Actes de Jean* 115 : éd. Lipsius-Bonnet, 1898, p. 215). Tertullien en justifie l'usage par *Ézéchiel* 9, 4 : *da signum Tau in frontibus eorum* (*Marc.*, 3, 22, 5-6), ce qui suggère une forme correspondant à cette lettre majuscule. La multiplication des signes de croix devint rapidement populaire ; cf. *Cor.*, 3, 4. Au sujet des formes qu'il prit et de la valeur qu'on lui attribuait, voir F. J. Dölger, « Beiträge zur Geschichte des Kreuzes », *JbAC* 1, 1958, p. 5-19 ; 2, 1959, p. 15-29 ; Dekkers, *o.c.*, p. 91.

flatu explodis : les insufflations et exsufflations sont des modes populaires d'exorcismes ; cf. *Apol.*, 23, 16 ; *Idol.*, 11, 7 : *quo ore (christianus) fumantes aras despuet et exsufflabit ?* Cf. F. J. Dölger, « Heidnische Begrüssung und christliche Verhöhnung der Heidentempel — Despuere und exsufflare in der Dämonenbeschwörung », *Antike und Christentum* 3, 1932, p. 192.

per noctem exurgis : l'usage est également attesté par la *Tradition apostolique*, 50 (Botte, p. 92).

magiae : portée contre les chrétiens dès le Ier siècle, l'accusation de magie rejoint alors les griefs d'athéisme, d'impiété (*asebeia*) et de *superstitio*. Dans cette perspective, est magique tout rite qui n'appartient pas aux cultes connus et reconnus. Mais dans un monde où les croyances et les pratiques magiques sont communes (en relation avec des forces occultes, numineuses, maléfiques), l'accusation traduit la crainte de pouvoirs et d'opérations de cet ordre, qui appartiendraient en propre aux chrétiens ; cf. ORIGÈNE, *Contra Celsum*, II, 55 et 69 ; VI, 38-39.

secreto : l'usage de conserver le pain eucharistique à domicile était cher aux premiers chrétiens ; il leur permettait la communion quotidienne ; cf. *Or.*, 19, 4 ; *Trad. apostolique* 22 (BOTTE, p. 61) ; NOVATIEN, *Spect.*, 5 ; CYPRIEN, *De lapsis*, 26 H. LECLERCQ « Réserve eucharistique », *DACL* 14, 1948, col. 2385-2389.

ante omnem cibum : on attribuait à l'eucharistie une vertu d'antidote ; *Trad. apostolique* 50 (BOTTE, p. 82). On a voulu voir ici une allusion au jeûne eucharistique institué par révérence pour le sacrement ; discussion de cette question dans SCHÜMMER, *o.c.*, p. 218-221.

sine gemitu : on rapprochera de ce passage *Nat.*, I, 4, 12, où Tertullien décrit la surprise d'un mari, dont la femme s'est convertie au christianisme.

dotes : la loi *Julia de fundo dotali* avait apporté sous Auguste de notables restrictions aux droits jusqu'alors absolus du mari sur la dot. Afin de protéger les immeubles dotaux, considérés comme la partie la plus importante des biens devant revenir à la femme, en cas de dissolution du mariage, la loi décida que, malgré sa qualité de propriétaire, le mari ne pourrait aliéner les biens dotaux sans le consentement de sa femme (GAIUS II, 63 ; PAUL., *Sent.*, II, 21 b, § 2 ; *Digeste* 23, 5, 4). Sous le Haut-Empire vint s'ajouter l'interdiction d'hypothéquer le fonds dotal. C'est à obtenir le consentement de la femme que pouvait s'exercer le chantage à la dénonciation, évoqué par Tertullien.

arbitrum speculatorem : il suffit au mari de menacer l'épouse qu'il portera en justice tel litige surgi entre les conjoints, pour obtenir satisfaction, s'il estime avoir subi quelque offense au dommage (*si forte laedantur*). L'*arbiter* dont il est ici question est le magistrat commis par le préteur, dans une procédure arbitrale, *iudicis arbitriue postulatio* (MONIER, *o.c.*, p. 144).

Un examen attentif de sa part comporte, pour l'épouse, le
risque de voir découvrir sa qualité de chrétienne. Tertullien ne
joue-t-il pas ici sur les deux sens qu'il donne, par ailleurs, au
terme : *speculator* ? Tantôt il l'emploie comme synonyme de :
observateur attentif, vigilant, à qui rien ne saurait échapper (cf.
Apol., 45, 7 ; *Nat.*, I, 7, 22 ; *Marc.*, II, 25, 3), tantôt comme
synonyme de : espion, délateur (cf. *Nat.*, I, 7, 22 ; *Scorp.*, 12, 3 :
citation de *I Pierre* 4, 16).

1. laribus : nous retenons la leçon des *recc.*, plus difficile et
confirmée par *Mart.*, 2, 7 : *non uides alienos deos, non imaginibus
eorum incurris, non sollemnes nationum dies ipsa commixtione
participas, non nidoribus spurcis uerberaris...*
ancilla Dei: fréquent pour désigner la chrétienne. Cf. *Cult.*, I, 4, 2.

daemonum : derrière les dieux des nations se cachent les démons qui s'arrogent ainsi le culte dû au seul vrai Dieu ; telle est,
selon Tertullien et nombre d'apologistes chrétiens — à la suite
des Juifs —, l'origine du polythéisme (D'ALÈS, *o.c.*, p. 156-
161 ; AZIZA, *o.c.*, p. 177-186).

sollemnibus regum : les fêtes impériales étaient : le *natalis
Caesaris*, anniversaire de la naissance ; le *natalis imperii*, anniversaire de l'avènement ; les *uota publica* annuels et les *uota
quinquennalia*, adressés aux dieux, le 3 janvier, pour le salut
de l'empereur et de sa famille. (WALTZING, *o.c.*, p. 226).

ianua laureata : consacré à Apollon, le laurier a une valeur
religieuse et purificatrice, largement reconnue dans le monde
antique (L. WENIGER, *Altgriechischer Baumkultus*, Leipzig 1919).

consistorio libidinum : Tertullien emploie à mainte reprise
cette comparaison choquante : *Apol.*, 35, 4 ; *Idol.*, 15, 11 ; *Cor.*,
13, 8. PROPERCE, I, 16, 7, mentionne les couronnes qui décoraient
les demeures des courtisanes (*turpes corollae*) ; cf. LUCRÈCE IV,
1170 ; JUVÉNAL VI, 79, 227 ; XII, 91. K. BAUS, *Der Kranz in
Antike und Christentum. Eine religionsgeschichtliche Untersuchung mit besonderer Berücksichtigung Tertullians*, Bonn 1940 ;
R. TURCAN, « Les guirlandes dans l'Antiquité classique », *JbAC*
14, 1971, p. 92-139.

2. de scena, de taberna, de gehenna : le passage semble irrémédiablement corrompu. Nous suivons le plus possible l'*Agobardinus* ; la conjecture de Fulvio Orsini, suivi par N. Rigault, se fonde sur les leçons de *NFR* : *dei coena = de scaena*. Peut-être pourrait-on rapprocher de la leçon de A : *Dei cenans, Spect.*, 13, 4 : *cenam Dei edere ?*

de scripturarum interiectione : en *Apo.*, 39 3-4, Tertullien souligne l'importance des Écritures dans la liturgie chrétienne ; cf. P. GAUE « Die Vorlesung heiliger Schriftenbei Tertullian » 11,2 ; dans *ZNTW* 23, 1924, p. 141-152. Voir aussi : *Cult.*, II, *An.*, 9, 4 ; *Mon.*, 12, 3. — Mais les Écritures nourrissaient aussi la vie spirituelle des premiers chrétiens ; Tertullien semble faire allusion ici à l'habitude qu'ils avaient, à l'instar des Juifs, d'émailler leurs conversations entre eux de citations bibliques ; cf. *Ps.* 118 (*Vg*), 43.

VII 1. excusantur : TERTULLIEN recourt au même raisonnement qu'en *Vx.*, II, 2, 2-4. Une interprétation stricte de *I Cor.* 7, 17 lui permet de réserver aux unions préchrétiennes devenues « mixtes » le bénéfice de la sanctification du conjoint non croyant et l'espoir de sa conversion. Le raisonnement est spécieux : au lieu d'envisager la volonté de cohabiter pacifiquement de la partie non croyante, qui forme le cœur de l'argumentation paulinienne, Tertullien ne s'attache qu'à la signification littérale des termes : *habet — uocatur — deprehensi* (*sunt*).

si ergo ratum est : ses prémisses étant assurées grâce à cette exégèse artificielle, notre auteur continue sa démonstration : un mariage préchrétien devenu « mixte » est agréable à Dieu et mérite le patronage de la grâce divine. Il ne s'agit pas ici de sacramentalité du mariage, observe LE SAINT, *o.c.*, p. 130. C'est la grâce du baptême qui sanctifie le mariage contracté dans la gentilité.

2. terrori est gentili : Tertullien insiste plus sur la crainte de Dieu que sur l'amour de Dieu, comme fondement du salut (KLEIN, *o.c.*, p. 96-98).

instet : conjecture de Kroymann ; Stephan suggère : *mussitet*, à la suite de Rhenanus (2e éd., 1528).

magnalia : seul emploi chez Tertullien ; correspond aux *megaleia* de l'A.T., cf. *Deut.* 11, 2 ; *Ps.* 70, 19 ; *Eccl.* 36, 7 ; 42, 21 ; *Act.* 2, 11 ; HERMAS, *Vis.*, IV, 2, 5 ; *Sim.*, IX, 18, 2 ; BRAUN, *o.c.*, p. 108.

dei candidatus : anticipation de la liturgie chrétienne baptismale et de la robe blanche des élus ; cf. *Mc* 9, 2 ; *Apoc.* 3, 5 ; 7, 9.

meliorem factum : l'argument du progrès moral consécutif à la conversion au christianisme est fondamental dans la littérature apologétique ; TERTULLIEN lui accorde aussi une place centrale dans ses écrits : *Nat.*, I, 4 ; *Apol.*, 3, 1 ; 21 ; 31 ; 49, 2 ; *Scap.*, 2, etc.

1. dispectores : vocable sans doute créé par TERTULLIEN, pour rendre le grec *episkopos*, *epoptès*, et exprimer l'omniprésence, l'omniscience divines (*Apol.*, 45, 1 ; *Cult.*, II, 10, 4 ; *An.*, 15, 4 = *Sag.*, 1, 6 ?). Est-il formé à partir de *dispicere*, « voir distinctement », ou de *despicere*, « regarder du haut de » ? Au sens profane, de *contemptor*, Tertullien emploie aussi *despector*. (*Marc.*, II, 23, 1). Cf. BRAUN, *o.c.*, p. 129-133 ; WASZINK, *o.c.*, p. 226.

nonne : Tertullien use fréquemment du procédé, qui consiste à faire abstraction des développements antérieurs, pour souligner la force de l'argument qui vient, observe TURCAN, *o.c.*, p. 103. On a ici un mouvement du même genre : après avoir développé avec ampleur ses preuves scripturaires, Tertullien affecte de les ignorer et trouve un *confirmatur* éclatant dans les dispositions du droit romain, et les usages des païens.

foras : les esclaves ne pouvaient inaugurer un *contubernium* avec une compagne d'esclavage qu'avec le consentement de leur *dominus* respectif. Les enfants nés de cette union appartenant au *dominus* de la mère, on comprend que les maîtres soucieux de leurs intérêts aient favorisé les unions des esclaves au sein de leur propre *domus*.

seruituti uindicandas : allusion au Sénatus Consulte Claudien
(PAUL., *Sent.*, II, 21), qui vise les femmes nées libres (*ingenuae*)
cohabitant avec des esclaves : *Si mulier ingenua ciuisque Romana
uel Latina alieno se seruo coniunxerit, si quidem inuito et denun-
tiante domino in eodem contubernio perseuerauerit, efficitur ancilla.*
Cf. TACITE, *Ann.*, XII, 53. L'Église eut à prendre position sur
ces unions inférieures (Ps.-HIPPOLYTE, *Ref.*, IX, 7). Cf. J. GAU-
DEMET, « La décision de Callixte en matière de mariage »,
Studi in onore di U.E. Paoli, Florence 1955—p. 333-344 ; MUNIER
o.c., p. 27-29 ; VEYNE, *art. cit.*, p. 40.

denuntiationem : terme technique, emprunté au S.C. Claudianus :
sommation, mise en demeure, intimée par le *dominus* de l'esclave
à la femme qui cohabite avec lui, d'avoir à cesser cette liaison. —
On observera avec quelle minutie Tertullien développe son
raisonnement analogique dans le passage suivant.

2. diaboli seruos : l'expression prend ici toute sa force, rappro-
chée de la teneur du S.C. Cf. *Vx.*, II, 4, 1.

status : au sens juridique du terme : la condition qui définit
la liberté, les droits civiques, la situation familiale, les divers
éléments du statut personnel ; cf. BRAUN, *o.c.*, p. 199-207.

denuntiatum : nouvelle allusion au S.C. Pour Tertullien, la
déclaration de *I Cor.* 7, 39 équivaut à la mise en demeure intimée
par le *dominus* par l'intermédiaire de l'Apôtre.

3. lautioribus : témoignage de la progression du christianisme
dans les milieux aisés, voire fortunés de l'Afrique romaine.

cinerariis : coiffeur, celui qui frise au fer, chauffé dans les cendres
(*cineres*) ; VARRON, *De lingua latina* V, 129 ; CATULLE LXI, 138.
Le thème de la coquetterie féminine (et masculine) occupe une
grande place dans l'œuvre de Tertullien. Pour les soins de la
coiffure, voir surtout *Cult.*, II, 7 et *Virg.*, 7, 4 et 12, 2.

4. sec⟨ta⟩tis : conjecture fondée sur la leçon des *recc.* L'*Agobardinus* écrit : *sectis*, et les commentateurs rappellent le vers de
JUVÉNAL, *Sat.*, VI, 366 : *Sunt quas eunuchi imbelles et mollia*

semper | oscula delectent et desperatio barbae | Et quod abortivo non est opus. Cf. MARTIAL, VI, 67.

libere : préférable à *libertis* des *recc.* L'opposition est, en effet, entre les *serui alieni*, visés par le S.C. Claudien et les *serui proprii.* Les *liberti* de toute provenance sont compris parmi les *ignobiles* du § précédent.

locupletiorem : rétabli malgré les manuscrits qui écrivent : *locupletatiorem.* Cette forme du comparatif est inconnue dans le reste de l'œuvre de TERTULLIEN ; cf. *Test.*, 5, 5 ; *Cult.*, I, 7, 1 ; II, 11, 3 ; *Nat.*, I, 12, 6.

6. ecclesia conciliat : celui qui ménage un mariage est appelé le *conciliator nuptiarum* ; cf. NEPOS, *Atticus* 12, 2. L'expression peut être éclairée par les passages précédents d'*Vx.*, II, 2, 1 : *nuptias de ecclesia tolleret* ; II, 7, 3 : *a diabolo conciliatur* ; II, 8, 3 : *unde nisi a diabolo maritum petant* ? Pour Tertullien, c'est l'Église qui doit ménager et mener à leur heureuse conclusion les mariages des chrétiens entre eux. Voir le commentaire détaillé de tout ce chapitre dans K. RITZER, *Le mariage dans les églises chrétiennes du Ier au XIe siècle*, Paris 1970, p. 110-123, que l'on corrigera et complétera grâce aux études de J. MOINGT, « Le mariage des chrétiens », dans *Mariage et divorce*, Paris 1974, p. 220-229 ; H. CROUZEL, « Deux textes de Tertullien concernant la procédure et les rites chrétiens du mariage », dans *Bulletin de littérature ecclésiastique* 74, 1973, p. 3-13 ; MUNIER, *o.c.*, p. 31-35. — Ce qui importe à TERTULLIEN, dans l'*Ad uxorem*, comme dans ses traités ultérieurs d'inspiration montaniste, c'est de dissuader les chrétiens de contracter des mariages mixtes ou clandestins ; cf. *Mon.*, 11, 1 ; *Pud.*, 4, 4 ; le rôle de toute la communauté ecclésiale (*ecclesia*) n'est pas précisé, mais il ne saurait être négligé, dans la perspective de Tertullien, si bien que l'expression *ecclesia conciliat* ne peut décrire ici une intervention du seul clergé.

confirmat oblatio : dans le mariage romain, les jeunes époux faisaient une offrande à un autel public. Une inscription d'Ostie (*CIL* 14, 5326) atteste que, sous Marc Aurèle, cette offrande avait lieu devant les images de l'empereur et de l'impératrice, *ob insignem eorum concordiam* (J. GAGÉ, *Les classes sociales dans l'Empire romain*, Paris 1971, p. 220). Quel a pu être, à l'époque de Tertullien, l'équivalent chrétien de ce rite ? L'usage d'une messe nuptiale, avec bénédiction du prêtre, n'est pas attesté, en Occident, avant le Ve siècle (RITZER, *o.c.*, p. 225). L'auteur du *Praedestinatus*, qui écrit à Rome, sous le pape Sixte III (432-440), en fait mention, mais saint Augustin n'en dit rien encore. Peut-on admettre l'existence d'un tel usage, en Afrique, dès les premières années du IIIe siècle ? Tertullien ne veut-il pas dire que la participation des époux chrétiens à la célébration eucharistique de la communauté, à laquelle ils assistent en présentant leurs offrandes, est le signe et le gage d'une union régulière aux yeux de l'Église ? De toute façon, une telle union ne saurait être ni mixte, ni clandestine.

obsignat benedictio : AUGUSTIN (*Sermo* 332, 4) et son biographe Possidius (*Vita* 27, 4-6) signalent une bénédiction nuptiale conférée *privatim*, après la signature des *tabulae matrimoniales*. Invité par les futurs, l'évêque (ou un presbytre) se rend à la maison où se célèbrent les noces, signe avec les autres témoins l'acte de mariage, le scelle (*obsignat*) et donne aux époux sa bénédiction. Il s'agit là d'un rite « domestique », assez voisin des usages attestés par le Talmud en milieu juif, dès le Ier siècle de notre ère ; cf. RITZER, *o.c.*, p. 62.

angeli renuntiant : les anges sont les témoins privilégiés du mariage chrétien ; représentants du monde céleste (*Hébr.* 12, 22 ; *I Tim.* 5, 21), ils y font connaître la conclusion du mariage des chrétiens et en informent le Père céleste. J. DANIÉLOU, *Les anges et leur mission d'après les Pères de l'Église*, Chevetogne 1953, ne signale nulle part ce texte, pourtant significatif, de Tertullien.

consensu patrum : si le consentement matrimonial, donné par les époux, est un élément essentiel du mariage romain, celui du *pater familias* est requis en outre si les époux sont *alieni iuris* (MONIER, *o.c.*, p. 277). N'y a-t-il pas ici une allusion discrète au fait que les chrétiens sont *serui Dei* ? Tertullien n'a-t-il pas rappelé plus haut (*Vx.*, II, 3, 1) : *non sumus nostri, sed pretio empti* ?

7. uolutantur : à la différence des dimanches et du temps pascal, où la prière se fait debout, en signe de la résurrection (*Or.*, 23), aux jours de station et de jeûne, elle se fait à genoux, en signe de pénitence. (H. LUBIENSKA DE LENVAL, *La liturgie du geste*, Toulouse 1957).

8. refrigeriis : terme voué à une belle fortune dans le « latin chrétien ». Sans perdre sa signification première de rafraîchissement, réconfort, il en viendra à désigner le bonheur éternel (H. FINÉ, *Die Terminologie der Jenseitsvorstellungen bei Tertullian, Theophaneia* 12, Bonn 1958).

celat... uitat : la description des mariages chrétiens forme un contraste saisissant avec celle des mariages mixtes, donnée plus haut (*Vx.*, II, 4-6). Il n'est guère d'expressions dont on ne trouve l'équivalent de part et d'autre, c'est ainsi que l'on peut rapprocher *celat* de *celatur* (5, 1) ; *uitat* de *uitatur* (5, 1) ; *grauis est* de *obstrepat, instet, speculetur* (7, 2).

aeger uisitatur : avec un art consommé, TERTULLIEN oppose la liberté d'action de la femme dont le mari est chrétien aux entraves qui sont le fait des mariages mixtes, qu'il s'agisse des activités charitables (cf. *Vx.*, II, 4, 2-3), des devoirs religieux, accomplis avec la communauté ecclésiale (*sacrificia sine scrupulo* ; cf. *Vx.*, II, 4, 1-2) ou en privé (*quotidiana diligentia sine impedimento* ; cf. *Vx.*, II, 5, 1-3).

signatio : cette fois, Tertullien reprend les éléments de *Vx.*, II, 5, 2 : *signas* ; II, 4, 3 : *ad osculum conuenire* ; II, 6, 2 *audiet... benedictio*.

sonant... prouocant : au lieu de subir des airs de cabaret ou des refrains de théâtre (*Vx.*, II, 6, 2), l'épouse chrétienne pourra chanter, à la maison, des psaumes et des hymnes ; cf. *Apol.*, 39, 18 ; *An.*, 9, 4. Leur usage n'est donc pas réservé aux assemblées liturgiques.

9. breuitate : à rapprocher de *Vx.*, II, 2, 5 : *sub breuitate facunda.*

expediret : le mot de la fin renvoie au propos initial : TERTULLIEN n'a pas eu d'autre souci que de montrer à sa femme et à toutes les femmes chrétiennes où se trouve leur véritable intérêt : cf. *Vx.*, I, 1, 5 et II, 1, 2. — La leçon de *A* : *non expedit*, est encore plus tranchante, mais est-elle primitive, préférable ?

BIBLIOGRAPHIE

Pour la bibliographie générale (dictionnaires, *indices*, textes bibliques, et autres instruments de travail), on voudra bien se reporter aux manuels de patrologie de

J. QUASTEN, *Initiation aux Pères de l'Église*, trad. fr., II, Paris 1957, p. 295-303.

B. ALTANER, *Précis de patrologie*, adapté par H. Chirat, Mulhouse 1961, p. 226-249.

On trouvera un bon aperçu d'ensemble des ouvrages et articles relatifs à Tertullien dans l'Introduction générale à l'édition parue au *Corpus Christianorum, series latina* I, Turnhout 1954, p. x-xxv. Après cette date, les meilleures indications bibliographiques sont données par :

J.-C. FREDOUILLE, *Tertullien et la conversion de la culture antique*, Paris 1972, p. 525-539, et par :

R. BRAUN, « *Deus Christianorum* », *Recherches sur le vocabulaire doctrinal de Tertullien*, 2ᵉ éd., Paris 1977, p. 593-623 (jusqu'à 1962) et p. 725-732.

ÉDITIONS — TRADUCTIONS

Les anciennes éditions de l'*Ad uxorem* sont recensées et décrites par A. STEPHAN (v. *infra*), p. 7-9. On retiendra, parmi celles qui ont fait avancer l'intelligence du texte :

B. RHENANUS, *Opera Q.S.F. Tertulliani*, Basileae 1521 ; ed. altera, 1528 ; ed. tertia, 1539.

M. MESNARTIUS (J. Gagnaeus), *Opera Q.S.F. Tertulliani*, Parisiis 1545.

S. Gelenius, *Q.S.F. Tertulliani scripta*, Basileae 1550 ; ed. altera, 1562.

I. Pamelius, *Q.S.F. Tertulliani opera*, Antverpiae 1584.

F. Iunius, *Q.S.F. Tertulliani quae adhuc reperiri potuerunt omnia*, Franecerae 1597.

J. L. de la Cerda, *Q.S.F. Tertulliani opera argumentis, notis illustrata*, Lutetiae Parisiorum 1624.

N. Rigaltius, *Q.S.F. Tertulliani libri IX*, Lutetiae 1628.

N. Rigaltius, *Q.S.F. Tertulliani opera*, Lutetiae 1634.

J.-P. Migne, *Patrologia latina*, I-II, Parisiis 1844 ; ed. altera, 1879.

F. Œhler, *Q.S.F. Tertulliani quae supersunt omnia*, Lipsiae I-III, 1854.

A. Kroymann, *Tertulliani opera II*, 2, Vindobonae 1942 (*CSEL*, t. LXX) ; le texte de *Vx.* a été repris dans le *Corpus christianorum*, I, 1954, p. 371-394.

A. Stephan, *Tertulliani Ad uxorem libri duo, denuo editi apparatu critico commentario exegetico batave scripto indice verborum et nominum instructi*, Hagae Comitis 1954.

Traductions allemandes par :

F. A. von Besnard, *Q.S.F. Tertullians sämtliche Schriften*, Augsburg 1837, p. 259-279.

H. Kellner, dans *Bibliothek der Kirchenväter (BKV, 7)*, Kempten-München 1912.

Traductions anglaises par :

G. Dodgson, *Tertullian* i (LF 10), Oxford 1842.

S. Thelwall, *Tertullian*, dans *The Antenicene Christian Library*, Oxford 1870, repr. dans *Th. Antenicene Fathers* 4, New York 1925.

W. P. Le Saint, *Tertullian, Treatises on marriage and remarriage*, dans *Ancient Christian Writers* 13, Westminster, Maryland 1951.

Traductions françaises par :

A. de Genoude, *Tertullien, Œuvres complètes*, t. 1-3, Paris 1852.

F. Quéré-Jeaulmes, dans *Le mariage dans l'Église ancienne*, Collection *Lettres chrétiennes*, t. 13, Paris 1969.

Traduction néerlandaise par Chr. MOHRMANN, dans *Monumenta christiana* I, 3, Utrecht-Brussel 1951.

CRITIQUE TEXTUELLE

P. DE LABRIOLLE, « Sur Tertullien, Ad uxorem I, 4 », dans *Revue de philologie* 30, 1906, p. 139-140.

J. H. WASZINK, Recension de l'ouvrage de W. P. Le Saint (*v. supra*), parue dans *Vigiliae christianae* 6, 1952, p. 183-190.

D. KUIJPER, « Tres observationes in Tertulliani Ad uxorem libros », dans *Vig. christ.* 9, 1955, p. 247-248.

A. STEPHAN, *o.c.*, p. 10-13 (observations sur l'édition de Kroymann)

P. PETITMENGIN, « Le Tertullien de Fulvio Orsini », dans *Eranos* 59, 1961, p. 116-135.

LANGUE ET STYLE

H. HOPPE, *Syntax und Stil des Tertullian*, Leipzig 1903.

— *Beiträge zur Sprache und Kritik Tertullians*, Lund 1932.

E. LÖFSTEDT, *Kritische Bemerkungen zu Tertullians Apologeticum*, Lund 1918.

— *Zur Sprache Tertullians*, Lund 1920.

G. THOERNELL, *Studia Tertullianea*, t. 1-4, Uppsala 1917, 1921, 1922, 1926.

S. W. J. TEEUWEN, *Sprachlicher Bedeutungswandel bei Tertullian*, Paderborn 1926.

H. PÉTRÉ, *L'exemplum chez Tertullien*, Dijon 1940.

Chr. MOHRMANN, « Observations sur la langue et le style de Tertullien », dans *Nuovo Didaskaleion* (Catania) 4, 1950-1951, p. 41-54.

— *Études sur le latin des chrétiens*, t. 1, Roma 1961[2] ; t. 2, 1961 ; t. 3, 1965 ; t. 4, 1977.

V. BULHART, *Tertullian-Studien*, Wien 1957 (= *Œsterr. Akad. der Wiss. Philos. hist. Klasse, Sitzungsber.* 231, 5).

Fr. SCIUTO, *La gradatio in Tertulliano*, Catane 1966.

R. D. SIDER, *Ancient rhetoric and the art of Tertullian*, Oxford 1971.

T. D. BARNES, *Tertullian*, Oxford 1971.

Pour le commentaire, il est toujours extrêmement instructif de se reporter aux travaux de

J. P. WALTZING, *Tertullien, Apologétique, Commentaire analytique, grammatical et historique*, Paris 1931.

J. H. WASZINK, *Q.S.F. Tertulliani, De anima*, edited with Introduction and Commentary, Amsterdam 1947.

P. G. VAN DER NAT, *Q.S.F. Tertulliani De idolatria, Pars* I (chap. 1-9), with introd., transl. and comm., Leyde 1960.

J. FONTAINE, *Tertullien De corona*, éd., intr. et comm., Paris 1966

et aux autres éditions et traductions d'œuvres de Tertullien, dont on trouvera la liste dans R. BRAUN, *o.c.*, p. 597-599 ; 725-727.

QUESTIONS BIBLIQUES

H. ROENSCH, *Das Neue Testament Tertullian's*, Leipzig 1871.

H. ROENSCH, *Itala und Vulgata*, 2e éd., Marburg 1875 ; repr. 1965.

P. DE LABRIOLLE, « Tertullien a-t-il connu une version latine de la Bible », dans *BALAC* 4, 1914, p. 210-213.

G. J. D. AALDERS, *Tertullianus' citaten uit de Evangeliën en de oudlatijnsche bijbelvertalingen* (*Diss.*, Amsterdam 1932).

R. P. C. HANSON, « Notes on Tertullians Interpretation of Scripture », dans *JThS*, n.s. 12, 1961, p. 273-279.

J. M. FORD, « Saint Paul the philogamist (I Cor. VII in early patristic exegesis) », dans *New Testament Studies* 11, Cambridge 1965, p. 326-348.

T. P. O'MALLEY, *Tertullian and the Bible*, Nijmegen-Utrecht 1967.

R. BRAUN, « Tertullien et l'exégèse de I Cor. VII », dans *Epektasis* (*Mélanges J. Daniélou*), Paris 1972, p. 21-28.

C. RAMBAUX, « La composition et l'exégèse dans les deux lettres *Ad uxorem*, le *De exhortatione castitatis* et le *De monogamia* — ou la construction de la pensée dans les traités de Tertullien sur le remariage », dans *REAug* 22, 1976, p. 3-28 ; 201-217 ; et 23, 1977, p. 18-55

QUESTIONS MATRIMONIALES

P. DE LABRIOLLE, « Un épisode de l'histoire de la morale chrétienne. La lutte de Tertullien contre les secondes noces », dans *Annales de Philosophie chrétienne* 154, 1907, p. 362-388.

H. Preisker, « Christentum und Ehe in den ersten drei Jahrhunderten », eine *Studie zur Kulturgeschichte der alten Welt*, Berlin 1927.

J. Köhne, « Ueber die Mischehen in den ersten christlichen Zeiten. Die allmähliche Zunahme der Ehen zwizchen Christen und Heiden », dans *Theologie und Glaube* 23, 1931, p. 333-350 ;

— *Die Ehen zwischen Christen und Heiden in den ersten christlichen Jahrhunderten*, Paderborn 1931.

B. Kötting, *Die Beurteilung der zweiten Ehe im heidnischen und christlichen Altertum*, Diss., Bonn 1943.

— Art. « Digamus », dans *RAC* 3, col. 1016-1024.

P. Frassinetti, « Gli scritti matrimoniali di Seneca e Tertulliano », dans *Rendiconti dell'Inst. Lombardo*, Classe di Lettere 88, 1951, p. 151-166.

H. Crouzel, *L'Église primitive face au divorce*, Paris 1971.

C. Tibiletti, « Verginità e matrimonio in antichi scrittori cristiani », *Annali della Facoltà di Lettere di Macerata* 2, 1969, p. 9-217.

— « Matrimonio ed eschatologia », *Augustinianum* 17, 1977, p. 53-70.

M. Humbert, *Le remariage à Rome, Étude d'histoire juridique et sociale*, Milano 1972.

P. Nautin, « Divorce et remariage dans la tradition latine », dans *Recherches de science religieuse* 62, 1974, p. 7-54 (spécialement p. 9-14).

A. Niebergall, « Tertullians Auffassung von Ehe und Eheschliessung », dans *Traditio, Krisis, Renovatio, Festschrift W. Zeller*, Marburg 1976, p. 56-72.

P. Veyne, « La famille et l'amour sous le Haut-Empire romain », *Annales* 33, 1978, p. 35-61.

W. H. Leslie, *The concept of woman in the Pauline Corpus in light of the social and religious environment of the first century*, Diss., Evanston 1976.

QUESTIONS LITURGIQUES

J. Kolberg, *Verfassung, Kult und Disziplin der christlichen Kirche nach den Schriften Tertullians*, Braunsberg 1888,

Th. SCHERMANN, « Zur Agapenfrage bei Tertullian, Ad uxorem II, 4 », dans *Der Katholik* 95, 1916, p. 338-367.

G. ESSER, « Convocationes nocturnae bei Tertullian, Ad uxorem II, 4 », dans *Der Katholik*, p. 388-391.

P. GLAUE, « Die Vorlesung heiliger Schriften bei Tertullian », dans *Zeitschrift für neutestamentlische Wissenschaft und die Kunde der älteren Kirche* 23 /24, 1924-25, p. 141-152.

J. SCHÜMMER, *Die altchristliche Fastenpraxis, mit besonderer Berücksichtigung der Schriften Tertullians*, Münster i. W., 1933.

F. J. DÖLGER, « Zu dominica sollemnia bei Tertullian », dans *Antike und Christentum* 6, 1940, p. 108-115.

J. H. WASZINK, « Pompa diaboli », dans *Vigiliae christianae* 1, 1947, p. 13-41.

E. DEKKERS, *Tertullianus en de geschiedenis der liturgie*, Brussel-Amsterdam 1947.

K. RITZER, *Le mariage dans les Églises chrétiennes, du Ier au XIe siècle*, Paris 1970 (Bibliographie).

QUESTIONS DIVERSES

A. BECK, *Römisches Recht bei Tertullian und Cyprian*, Halle 1930 ; repr. Aalen, 1967.

V. MOREL, « Disciplina : le mot et l'idée représentée par lui dans les œuvres de Tertullien », dans *RHE* 40, 1944-1945, p. 5-46.

J. KLEIN, *Tertullian, Christliches Bewusstsein und sittliche Forderungen*, Düsseldorf 1940, reprint Hildesheim 1975.

M. SPANNEUT, *Le stoïcisme des Pères de l'Église, de Clément de Rome à Clément d'Alexandrie* , Paris 1957.

S. OTTO, *Natura und Dispositio. Untersuchung zum Naturbergriff und zur Denkform Tertullians*, München 1960.

G. BRAY, « The legal concept of Ratio in Tertullian », dans *Vig. Christ.* 31, 1977, p. 94-116.

Cl. AZIZA, *Tertullien et le Judaïsme*, Paris 1977.

INDEX SCRIPTURAIRE

Les chiffres de la colonne de droite renvoient aux pages du présent ouvrage.

ANCIEN TESTAMENT

NOUVEAU TESTAMENT

INDEX ANALYTIQUE

Cet index ne contient que les mots expliqués dans l'Introduction ou le Commentaire. Les chiffres renvoient aux pages du présent ouvrage.

TABLE DES MATIÈRES

SOURCES CHRÉTIENNES

LISTE COMPLETE DE TOUS LES VOLUMES PARUS

N. B. — L'ordre suivant est celui de la date de parution (n° 1 en 1942) et il n'est pas tenu compte ici du classement en séries : grecque, latine, byzantine, orientale, textes monastiques d'Occident ; et série annexe : textes para-chrétiens.

Sauf indication contraire, chaque volume comporte le texte original, grec ou latin, souvent avec un apparat critique inédit.

La mention *bis* indique une seconde édition. Quand cette seconde édition ne diffère de la première que par de menues corrections et des *Addenda et Corrigenda* ajoutés en appendice, la date est accompagnée de la mention « réimpression avec supplément ».

27 bis. Homélies Pascales, t. I. P. Nautin. *En préparation.*

28 bis. JEAN CHRYSOSTOME : Sur l'incompréhensibilité de Dieu. J. Daniélou, A.-M. Malingrey, R. Flacelière (1970).

29 bis. ORIGÈNE : Homélies sur les Nombres. A. Méhat. *En préparation.*

30 bis. CLÉMENT D'ALEXANDRIE : Stromate I. *En préparation.*

31. EUSÈBE DE CÉSARÉE : Histoire ecclésiastique, t. I. G. Bardy (réimpression, 1965).

32 bis. GRÉGOIRE LE GRAND : Morales sur Job, t. I. Livres I-II. R. Gillet, A. de Gaudemaris (1975).

33 bis. A. Diognète. H. I. Marrou (réimpr. avec suppl., 1965).

34. IRÉNÉE DE LYON : Contre les hérésies, livre III. F. Sagnard. *Remplacé par les n⁰ˢ 210 et 211.* — [n°s 210 et 211.]

35 bis. TERTULLIEN : Traité du baptême. F. Refoulé. *En préparation.*

36 bis. Homélies Pascales, t. II. P. Nautin. *En préparation.*

37 bis. ORIGÈNE : Homélies sur le Cantique. O. Rousseau (1966).

38 bis. CLÉMENT D'ALEXANDRIE : Stromate II. *En préparation.*

39 bis. LACTANCE : De la mort des persécuteurs. 2 vol. *En préparation.*

40. THÉODORET DE CYR : Correspondance, t. I. Y. Azéma (1955).

41. EUSÈBE DE CÉSARÉE : Histoire ecclésiastique, t. II. G. Bardy (réimpression, 1965).

42. JEAN CASSIEN : Conférences, t. I. E. Pichery (réimpression, 1966).

43. JÉRÔME : Sur Jonas. P. Antin (1956).

44. PHILOXÈNE DE MABBOUG : Homélies. E. Lemoine. Trad. seule (1956).

45. AMBROISE DE MILAN : Sur S. Luc, t. I. G. Tissot (réimpr. avec suppl., 1971).

46. TERTULLIEN : De la prescription contre les hérétiques. P. de Labriolle et F. Refoulé (1957).

47. PHILON D'ALEXANDRIE : La migration d'Abraham. R. Cadiou (1957).

48. Homélies Pascales, t. III. F. Floëri et P. Nautin (1957).

49 bis. LÉON LE GRAND : Sermons, t. II. R. Dolle (1969).

50 bis. JEAN CHRYSOSTOME : Huit Catéchèses baptismales inédites. A. Wenger (réimpr. avec suppl., 1970).

51 bis. SYMÉON LE NOUVEAU THÉOLOGIEN : Chapitres théologiques, gnostiques et pratiques. J. Darrouzès. *En préparation.*

52 bis. AMBROISE DE MILAN : Sur S. Luc, t. II. G. Tissot (réimpr. avec suppl., 1976).

53 bis. HERMAS : Le Pasteur. R. Joly (réimpr. avec suppl., 1968).

54. JEAN CASSIEN : Conférences, t. II. E. Pichery (réimpression, 1966).

55. EUSÈBE DE CÉSARÉE : Histoire ecclésiastique, t. III, G. Bardy (réimpression, 1967).

56. ATHANASE D'ALEXANDRIE : Deux apologies. J. Szymusiak (1958).

57. THÉODORET DE CYR : Thérapeutique des maladies helléniques. 2 volumes. P. Canivet (1958).

58 bis. DENYS L'ARÉOPAGITE : La hiérarchie céleste. G. Heil, R. Roques, M. de Gandillac (réimpr. avec suppl., 1970).

59. Trois antiques rituels du baptême. A. Salles. Trad. seule. *Épuisé.*

60. AELRED DE RIEVAULX : Quand Jésus eut douze ans. A. Hoste, J. Dubois (1958).

61 bis. GUILLAUME DE SAINT-THIERRY : Traité de la contemplation de Dieu. J. Hourlier (1968).

62. IRÉNÉE DE LYON : Démonstration de la prédication apostolique. L. Froidevaux. Nouvelle trad. sur l'arménien. Trad. seule (réimpr. 1971).

63. RICHARD DE SAINT-VICTOR : La Trinité. G. Salet (1959).

64. JEAN CASSIEN : Conférences. t. III. E. Pichery (réimpr., 1971).

65. GÉLASE Iᵉʳ : Lettre contre les Lupercales et dix-huit messes du sacramentaire léonien. G. Pomarès (1960).

66. ADAM DE PERSEIGNE : Lettres, t. I. J. Bouvet (1960).

67. ORIGÈNE : Entretien avec Héraclide. J. Scherer (1960).

68. MARIUS VICTORINUS : Traités théologiques sur la Trinité. P. Henry, P. Hadot. Tome I. Introd., texte critique, traduction (1960).

69. Id. — Tome II. Commentaire et tables (1960).

70. CLÉMENT D'ALEXANDRIE : Le Pédagogue, t. I. H. I. Marrou, M. Harl (1960).
71. ORIGÈNE : Homélies sur Josué. A. Jaubert (1960).
72. AMÉDÉE DE LAUSANNE : Huit homélies mariales. G. Bavaud, J. Deshusses, A. Dumas (1960).
73 bis. EUSÈBE DE CÉSARÉE : Histoire ecclésiastique, t. IV. Introd. générale de G. Bardy et tables de P. Périchon (réimpr. avec suppl., 1971).
74 bis. LÉON LE GRAND : Sermons, t. III. R. Dolle (1976).
75. S. AUGUSTIN : Commentaire de la 1re Épître de S. Jean. P. Agaësse (réimpression, 1966).
76. AELRED DE RIEVAULX : La vie de recluse, Ch. Dumont (1961).
77. DEFENSOR DE LIGUGÉ : Le livre d'étincelles, t. I. H. Rochais (1961).
78. GRÉGOIRE DE NAREK : Le livre de Prières. I. Kéchichian, Trad. seule (1961).
79. JEAN CHRYSOSTOME : Sur la Providence de Dieu. A.-M. Malingrey (1961).
80. JEAN DAMASCÈNE : Homélies sur la Nativité et la Dormition. P. Voulet (1961).
81. NICÉTAS STÉTHATOS : Opuscules et lettres. J. Darrouzès (1961).
82. GUILLAUME DE SAINT-THIERRY : Exposé sur le Cantique des Cantiques, J.-M. Déchanet (1962).
83. DIDYME L'AVEUGLE : Sur Zacharie. Texte inédit. L. Doutreleau. Tome I. Introduction et livre I (1962).
84. Id. — Tome II. Livres II et III (1962).
85. Id. — Tome III. Livres IV et V, Index (1962).
86. DEFENSOR DE LIGUGÉ : Le livre d'étincelles, t. II. H. Rochais (1962).
87. ORIGÈNE : Homélies sur S. Luc, H. Crouzel, F. Fournier, P. Périchon (1962).
88. Lettres des premiers Chartreux, tome I : S. BRUNO, GUIGUES, S. ANTHELME. Par un Chartreux (1962).
89. Lettre d'Aristée à Philocrate. A. Pelletier (1962).
90. Vie de sainte Mélanie. D. Gorce (1962).
91. ANSELME DE CANTORBÉRY : Pourquoi Dieu s'est fait homme. R. Roques (1963).
92. DOROTHÉE DE GAZA : Œuvres spirituelles. L. Regnault, J. de Préville (1963).
93. BAUDOUIN DE FORD : Le sacrement de l'autel. J. Morson, É. de Solms, J. Leclercq. Tome I (1963).
94. Id. — Tome II (1963).
95. MÉTHODE D'OLYMPE : Le banquet. H. Musurillo, V.-H. Debidour (1963).
96. SYMÉON LE NOUVEAU THÉOLOGIEN : Catéchèses. B. Krivochéine, J. Paramelle. Tome I. Introduction et Catéchèses 1-5 (1963).
97. CYRILLE D'ALEXANDRIE : Deux dialogues christologiques. G. M. de Durand (1964).
98. THÉODORET DE CYR : Correspondance, t. II. Y. Azéma (1964).
99. ROMANOS LE MÉLODE : Hymnes. J. Grosdidier de Matons. Tome I. Introduction et Hymnes I-VIII (1964).
100. IRÉNÉE DE LYON : Contre les hérésies, livre IV. A. Rousseau, B. Hemmerdinger, Ch. Mercier, L. Doutreleau. 2 vol. (1965).
101. QUODVULTDEUS : Livre des promesses et des prédictions de Dieu. R. Braun. Tome I (1964).
102. Id. — Tome II (1964).
103. JEAN CHRYSOSTOME : Lettre d'exil. A.-M. Malingrey (1964).
104. SYMÉON LE NOUVEAU THÉOLOGIEN : Catéchèses. B. Krivochéine, J. Paramelle. Tome II, Catéchèses 6-22 (1964).
105. La Règle du Maître. A. de Vogüé. Tome I. Introduction et chap. 1-10 (1964).
106. Id. — Tome II. Chap. 11-95 (1964).
107. Id. — Tome III. Concordance et Index orthographique J.-M. Clément, J. Neufville, D. Demeslay (1965).
108. CLÉMENT D'ALEXANDRIE : Le Pédagogue, tome II. Cl. Mondésert, H. I. Marrou (1965).
109. JEAN CASSIEN : Institutions cénobitiques. J.-C. Guy (1965).
110. ROMANOS LE MÉLODE : Hymnes. J. Grosdidier de Matons. Tome II. Hymnes IX-XX (1965).
111. THÉODORET DE CYR : Correspondance, t. III. Y. Azéma (1965).
112. CONSTANCE DE LYON : Vie de S. Germain d'Auxerre. R. Borius. (1965).

153. **Id.** — Tome II. Texte et traduction (1969).
154. CHROMACE D'AQUILÉE : **Sermons.** Tome I. Sermons 1-17 A. J. Lemarié (1969).
155. HUGUES DE SAINT-VICTOR : **Six opuscules spirituels.** R. Baron (1969).
156. SYMÉON LE NOUVEAU THÉOLOGIEN : **Hymnes.** J. Koder, J. Paramelle. Tome I. Hymnes I-XV (1969).
157. ORIGÈNE : **Commentaire sur S. Jean.** C. Blanc. Tome II. Livres VI et X (1970).
158. CLÉMENT D'ALEXANDRIE : **Le Pédagogue.** Livre III. Cl. Mondésert, H. I. Marrou et Ch. Matray (1970).
159. COSMAS INDICOPLEUSTÈS : **Topographie chrétienne.** Tome II. Livre V. W. Wolska-Conus (1970).
160. BASILE DE CÉSARÉE : **Sur l'origine de l'homme.** A. Smets et M. Van Esbroeck (1970).
161. **Quatorze homélies du IXe siècle d'un auteur inconnu de l'Italie du Nord.** P. Mercier (1970).
162. ORIGÈNE : **Commentaire sur l'Évangile selon Matthieu.** Tome I. Livres X et XI. R. Girod (1970).
163. GUIGUES II LE CHARTREUX : **Lettre sur la vie conplative (ou Échelle des Moines). Douze méditations.** E. Colledge, J. Walsh (1970).
164. CHROMACE D'AQUILÉE : **Sermons.** Tome II. Sermons 18-41. J. Lemarié (1971).
165. RUPERT DE DEUTZ : **Les œuvres du Saint-Esprit.** Tome II. Livres III et IV. J. Gribomont, É. de Solms (1970).
166. GUERRIC D'IGNY : **Sermons.** Tome I. J. Morson, H. Costello, P. Deseille (1970).
167. CLÉMENT DE ROME : **Épître aux Corinthiens.** A. Jaubert (1971).
168. RICHARD ROLLE : **Le chant d'amour (Melos amoris).** F. Vandenbroucke et les Moniales de Wisques. Tome I (1971).
169. **Id.** — Tome II (1971).
170. ÉVAGRE LE PONTIQUE : **Traité pratique.** A. et C. Guillaumont. Tome I. Introduction (1971).
171. **Id.** — Tome II. Texte, traduction, commentaire et tables (1971).
172. **Épître de Barnabé.** R. A. Kraft, P. Prigent (1971).
173. TERTULLIEN : **La toilette des femmes.** M. Turcan (1971).
174. SYMÉON LE NOUVEAU THÉOLOGIEN : **Hymnes.** J. Koder, L. Neyrand. Tome II. Hymnes XVI-XL (1971).
175. CÉSAIRE D'ARLES : **Sermons au peuple.** Tome I. Sermons 1-20. M.-J. Delage (1971).
176. SALVIEN DE MARSEILLE : **Œuvres.** Tome I. G. Lagarrigue (1971).
177. CALLINICOS : **Vie d'Hypatios.** G. J. M. Bartelink (1971).
178. GRÉGOIRE DE NYSSE : **Vie de sainte Macrine** P. Maraval (1971).
179. AMBROISE DE MILAN : **La Pénitence.** R. Gryson (1971).
180. JEAN SCOT : **Commentaire sur l'évangile de Jean.** É. Jeauneau (1972).
181. **La Règle de S. Benoît.** Tome I. Introduction et Chapitres I-VII. A. de Vogüé et J. Neufville (1972).
182. **Id.** — Tome II. Chapitres VIII-LXXIII, Tables et concordance. A. de Vogüé et J. Neufville (1972).
183. **Id.** — Tome III. Étude de la tradition manuscrite. J. Neufville (1972).
184. **Id.** — Tome IV. Commentaire (Parties I-III). A. de Vogüé (1971).
185. **Id.** — Tome V. Commentaire (Parties IV-VI). A. de Vogüé (1971).
186. **Id.** — Tome VI Commentaire (Parties VII-IX). Index. A. de Vogüé (1971).
187. HÉSYCHIUS DE JÉRUSALEM, BASILE DE SÉLEUCIE, JEAN DE BÉRYTE, PSEUDO-CHRYSOSTOME, LÉONCE DE CONSTANTINOPLE : **Homélies pascales.** M. Aubineau (1972).
188. JEAN CHRYSOSTOME : **Sur la vaine gloire et l'éducation des enfants.** A.-M. Malingrey (1972).
189. **La chaîne palestinienne sur le psaume 118.** Tome I. Introduction, texte critique et traduction M. Harl (1972).
190. **Id.** — Tome II. Catalogue des fragments, Notes et Index. M. Harl (1972).
191. PIERRE DAMIEN : **Lettre sur la toute-puissance divine.** A. Cantin (1972).
192. JULIEN DE VÉZELAY : **Sermons.** Tome I. Introduction et Sermons 1-16, D. Vorreux (1972).
193. **Id.** — Tome II. Sermons 17-27, Index, D. Vorreux (1972).

232. ORIGÈNE : Homélies sur Jérémie. P. Nautin et P. Husson. Tome I. Introduction et homélies I-XI (1976).
233. DIDYME L'AVEUGLE : Sur la Genèse, t. I. P. Nautin et L. Doutreleau (1976).
234. THÉODORET DE CYR : Histoire des moines de Syrie. Tome I. Introduction et Histoire Philothée I-XIII. P. Canivet et A. Leroy-Molinghen (1977).
235. HILAIRE D'ARLES : Vie de S. Honorat. M.-D. Valentin (1977).
236. Rituel cathare. Ch. Thouzellier (1977).
237. CYRILLE D'ALEXANDRIE : Dialogues sur la Trinité. Tome II. Dial. III-V. G. M. de Durand (1977).
238. ORIGÈNE : Homélies sur Jérémie. Tome II. Homélies XII-XX et homélies latines, index. P. Nautin et P. Husson (1977).
239. AMBROISE DE MILAN : Apologie pour David. P. Hadot et M. Cordier (1977).
240. PIERRE DE CELLE : L'école du cloître. G. de Martel (1977).
241. Conciles gaulois du IVe siècle. J. Gaudemet (1977).
242. S. JÉRÔME : Commentaire sur S. Matthieu. Tome I. Livres I et II. É. Bonnard (1977).
243. CÉSAIRE D'ARLES : Sermons au peuple. Tome II. Sermons 21-55. M.-J. Delage (1978).
244. DIDYME L'AVEUGLE : Sur la Genèse. Tome II (sur Genèse V-XVII). Index. P. Nautin et L. Doutreleau (1978).
245. Targum du Pentateuque. Tome I : Genèse. R. Le Déaut et J. Robert. Trad. seule (1978).
246. CYRILLE D'ALEXANDRIE : Dialogues sur la Trinité. Tome III. Dial. VI-VII, index. G. M. de Durand (1978).
247. GRÉGOIRE DE NAZIANZE : Discours 1-3. J. Bernardi (1978).
248. La doctrine des douze apôtres. W. Rordorf et A. Tuilier (1978).
249. S. PATRICK : Confession et Lettre à Coroticus. R. P. C. Hanson et C. Blanc (1978).
250. GRÉGOIRE DE NAZIANZE : Discours 27-31 (Discours théologiques). P. Gallay (1978).
251. GRÉGOIRE LE GRAND : Dialogues. Tome I. A. de Vogüé (1978).
252. ORIGÈNE : Traité des principes. Livres I et II. Tome I. Introduction, texte critique et traduction. H. Crouzel et M. Simonetti (1978).
253. Id. — Tome II. Commentaire et fragments. H. Crouzel et M. Simonetti (1978).
254. HILAIRE DE POITIERS : Sur Matthieu. Tome I. Introduction et chap. 1-13. J. Doignon (1978).
255. GERTRUDE D'HELFTA : Œuvres spirituelles. Tome IV. Le Héraut. Livre IV. J.-M. Clément, B. de Vregille et les Moniales de Wisques (1978).
256. Targum du Pentateuque. Tome II. Exode et Lévitique. R. Le Déaut et J. Robert. Trad. seule (1979).
257. THÉODORET DE CYR : Histoire des moines de Syrie. Tome II. Histoire Philothée (XIV-XXX), Traité sur la Charité (XXXI) et Index. P. Canivet et A. Leroy-Molinghen (1979).
258. HILAIRE DE POITIERS : Sur Matthieu, t. II. Chap. 14-33, appendice et index. J. Doignon (1979).
259. S. JÉRÔME : Commentaire sur S. Matthieu. Tome II. Livres III et IV, index. É. Bonnard (1979).
260. GRÉGOIRE LE GRAND : Dialogues. Tome II. Livres I-III. A. de Vogüé et P. Antin (1979).
261. Targum du Pentateuque. Tome III. Nombres. R. Le Déaut et J. Robert. Trad. seule (1979).
262. EUSÈBE DE CÉSARÉE : Préparation évangélique, livres IV, 1 - V, 17. O. Zink et É. des Places (1979).
263. IRÉNÉE DE LYON : Contre les hérésies, livre I. A. Rousseau, L. Doutreleau. Tome I. Introduction, notes justificatives et tables (1979).
264. Id. — Tome II. Texte et traduction (1979).
265. GRÉGOIRE LE GRAND : Dialogues. Tome III. Livre IV, tables et index. A. de Vogüé et P. Antin (1980).
266. EUSÈBE DE CÉSARÉE : Préparation évangélique, livres V, 18 - VI, É. des Places (1980).
267. Scolies ariennes sur le concile d'Aquilée. R. Gryson (1980).

Hors série :

SOUS PRESSE

PROCHAINES PUBLICATIONS

SOURCES CHRÉTIENNES
(1-273)

Également aux Éditions du Cerf :

LES ŒUVRES DE PHILON D'ALEXANDRIE

publiées sous la direction de

R. Arnaldez, C. Mondésert, J. Pouilloux

Texte grec et traduction française

CET OUVRAGE A ÉTÉ ACHEVÉ
D'IMPRIMER EN JUILLET 1980
SUR LES PRESSES DE L'IMPRIMERIE
DE L'INDÉPENDANT A CHATEAU-GONTIER

DÉPOT LÉGAL - 3e TRIMESTRE 1980

Nº ÉDITEUR : 7245

Imprimé en France